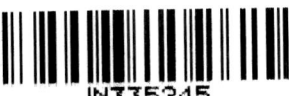

こども
戦《せん》争《そう》と平《へい》和《わ》

★戦《せん》争《そう》と平《へい》和《わ》について考《かんが》えるきっかけとなる本《ほん》★

KANZEN

人間《にんげん》はなぜ戦争《せんそう》をするのでしょうか？

戦争《せんそう》は、文字《もじ》がつくられ、記録《きろく》が残《のこ》されるようになった有史《ゆうし》の時代《じだい》に起《お》きたことが確認《かくにん》されてから今日《きょう》まで絶《た》えることなく続《つづ》いてきました。ある研究者《けんきゅうしゃ》によれば、過去《かこ》3500年《ねん》のうち、戦争《せんそう》がなかった期間《きかん》はわずか300年《ねん》に過《す》ぎないとのことです。人間《にんげん》の歴史《れきし》は、まさに戦争《せんそう》の歴史《れきし》であるといっても過言《かごん》ではないのです。

日本《にっぽん》も、第二次世界大戦《だいにじせかいたいせん》では、国家滅亡《こっかめつぼう》の淵《ふち》に追《お》い込《こ》まれるまで戦《たたか》い、そして敗戦《はいせん》しました。

幸《さいわ》い、私《わたし》は戦後《せんご》の日本《にっぽん》に生《う》まれ、戦争《せんそう》を経験《けいけん》することなく平和《へいわ》のなかに生《い》きてきました。妻《つま》もふたりのこどもたちもそうです。

戦後《せんご》の日本《にっぽん》の平和《へいわ》は、先《さき》の大戦《たいせん》への厳粛《げんしゅく》な反省《はんせい》と教訓《きょうくん》のうえに築《きず》かれたものです。それは、私《わたし》の父《ちち》や母《はは》、祖父《そふ》や祖母《そぼ》が経験《けいけん》した戦争《せんそう》です。多《おお》くの人《ひと》たちが犠牲《ぎせい》になり、日本《にっぽん》の都市《とし》という都市《とし》はほとんど焼《や》け野原《のはら》となりました。父《ちち》は士官学校時代《しかんがっこうじだい》に九州《きゅうしゅう》の久留米《くるめ》で、母《はは》は女学校時代《じょがっこうじだい》に銃《じゅう》剣生産《けんせいさん》に動員《どういん》された大阪《おおさか》で大空襲《だいくうしゅう》を経験《けいけん》し、生死《せいし》の境《さかい》を彷徨《さまよ》いました。戦後《せんご》、父《ちち》も母《はは》も教育者《きょういくしゃ》となって、平和《へいわ》の大切《たいせつ》さを私《わたし》たち兄弟《きょうだい》だけでなく、多《おお》くのこどもたちにも語《かた》ったそうです。

戦争《せんそう》を二度《ふたど》とやってはいけない。そんな両親《りょうしん》の世代《せだい》の日本人《にっぽんじん》の思《おも》いは、戦争放棄《せんそうほうき》を宣言《せんげん》した日本国憲法《にっぽんこくけんぽう》に体現《たいげん》されています。平和憲法《へいわけんぽう》の下《もと》、戦《せん》後《ご》の日本《にっぽん》は平和国家《へいわこっか》として歩《あゆ》んできたのです。

しかし、日本《にっぽん》が戦争《せんそう》を起《お》こさず、平和《へいわ》を唱《とな》えてさえいれば平和《へいわ》でいられるとはいえないのが現実《げんじつ》の世界《せかい》です。昔《むかし》も今《いま》も、世界《せかい》には周辺国《しゅうへんこく》を威《い》嚇《かく》したり侵略《しんりゃく》したりする大国《たいこく》や罪《つみ》のない人々《ひとびと》を殺《さつ》りくするテロリストもいます。近年《きんねん》でも、ロシアによるウクライナ侵略《しんりゃく》やイスラム組織《そしき》ハマスとイスラエルの戦争《せんそう》が起《お》きました。

日本周辺《にっぽんしゅうへん》の安全保障環境《あんぜんほしょうかんきょう》も厳《きび》しさを増《ま》しており、私《わたし》たちが避《さ》けようとしても避《さ》けられない戦争《せんそう》のリスクが高《たか》まっていることを懸念《けねん》しています。日本《にっぽん》が防衛力強化《ぼうえいりょくきょうか》に努《つと》めている背景《はいけい》には、そうした危機意識《ききいしき》があります。同時《どうじ》に、日本《にっぽん》は世界《せかい》の平和《へいわ》のために、口先《くちさき》だけではない「積極的平和主義《せっきょくてきへいわしゅぎ》」の外交《がいこう》にも努《つと》めています。

日本《にっぽん》の平和《へいわ》、そして世界《せかい》の平和《へいわ》のために、日本《にっぽん》は具体的《ぐたいてき》に何《なに》をすべきでしょうか。私《わたし》たちには何《なに》ができるでしょうか。政治家任《せいじかまか》せにしないで、私《わたし》たち一人《ひとり》ひとりが今考《いまかんが》えなくてはいけない問題《もんだい》です。

この本《ほん》は、日本《にっぽん》を含《ふく》む戦争《せんそう》の歴史《れきし》を振《ふ》り返《かえ》り、平和《へいわ》を考《かんが》えるための本《ほん》です。人間《にんげん》はなぜ戦争《せんそう》をするのか、戦争《せんそう》をなくすためにどんな努力《どりょく》がなされてきたのかといった疑問《ぎもん》に答《こた》え、私《わたし》たちにできる行動《こうどう》を考《かんが》えるために書《か》かれた本《ほん》です。紙面《しめん》の制約《せいやく》があるなかで、これだけは知《し》っておいてほしい、これだけはよく考《かんが》えてほしいということをできるかぎりわかりやすくまとめました。

フランスの彫刻家《ちょうこくか》オーギュスト・ロダンの「考《かんが》える人《ひと》」が私《わたし》たちに呼《よ》びかけているように、なぜという疑問《ぎもん》を持《も》って考《かんが》え抜《ぬ》くことが新《あら》たな価値《かち》を生《う》み出《だ》します。

戦争《せんそう》という難題《なんだい》について考《かんが》え、平和《へいわ》という価値《かち》を創造《そうぞう》するために、この本《ほん》が役《やく》に立《た》つことを祈《いの》ります。

戦後《せんご》80年《ねん》を迎《むか》える君《きみ》とともに考《かんが》える2025年初夏《ねんしょか》
監修者兼著者《かんしゅうしゃけんちょしゃ》　小原雅博《こはらまさひろ》

【もくじ】

第《だい》 1 章《しょう》

今《いま》、世《せ》界《かい》で起《お》こっているさまざまな紛《ふん》争《そう》

第《だい》2章《しょう》

なぜ戦争《せんそう》はなくならないのだろう？

【もくじ】

第《だい》3章《しょう》

過去《かこ》の日本《にっぽん》が関係《かんけい》した戦争《せんそう》とその決着《けっちゃく》を知《し》る

第《だい》4章《しょう》

日本周辺《にっぽんしゅうへん》にもある紛争《ふんそう》の火種《ひだね》を知《し》っておこう！

第《だい》5章《しょう》

平和《へいわ》のために努力《どりょく》する人々《ひとびと》や組織《そしき》を知《し》る

【もくじ】

第《だい》6章《しょう》

平和《へいわ》のために考《かんが》えること、できること

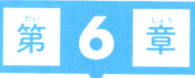

第《だい》1章《しょう》

今《いま》、世界《せかい》で起《お》こっているさまざまな紛争《ふんそう》

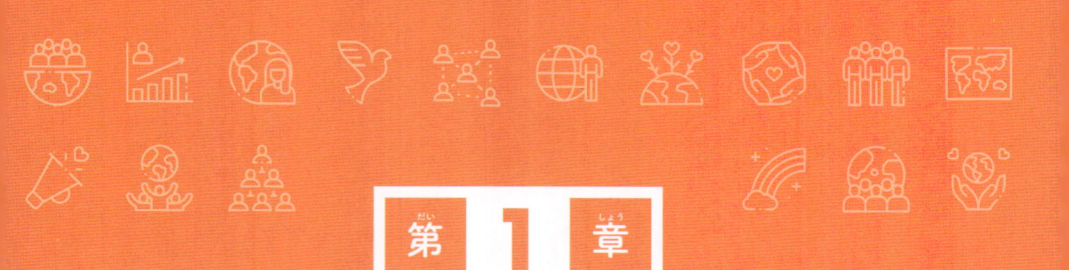

1

今《いま》も世界《せかい》で争《あらそ》いが絶《た》えない

今《いま》も世界《せかい》で衝突《しょうとつ》・混乱《こんらん》が続《つづ》く戦争《せんそう》・紛争《ふんそう》

発生年《はっせいねん》	争《あらそ》いの名称《めいしょう》	対立《たいりつ》するおもな国《くに》・民族《みんぞく》・組織《そしき》
2023年《ねん》	イスラエル-ハマス戦争《せんそう》(14ページ)	イスラエル×ハマス
2022年《ねん》	ウクライナ戦争《せんそう》(12ページ)	ウクライナ×ロシア
2014～ 2024年《ねん》	イエメン内戦《ないせん》(22ページ)	政府《せいふ》×フーシ派《は》
2011年《ねん》	シリア内戦《ないせん》(20ページ)	アサド政権《せいけん》×反政府勢力《はんせいふせいりょく》
2001～ 2021年《ねん》	アフガニスタン戦争《せんそう》	米軍《べいぐん》とそれが支援《しえん》する新政府《しんせいふ》 ×タリバン
1950年《ねん》	朝鮮戦争《ちょうせんせんそう》(休戦中《きゅうせんちゅう》、24ページ)	韓国《かんこく》×朝鮮民主主義人民共和国《ちょうせんみんしゅしゅぎじんみんきょうわこく》
1948年《ねん》	ミャンマー内戦《ないせん》(16ページ)	政府《せいふ》×少数民族《しょうすうみんぞく》／民主派《みんしゅは》
1947年《ねん》	カシミール紛争《ふんそう》(18ページ)	インド×パキスタン／インド×中国《ちゅうごく》

2つ以上《いじょう》の主体《しゅたい》が争《あらそ》う紛争《ふんそう》には、国《くに》と国《くに》との争《あらそ》い（戦争《せんそう》）だけでなく、同《おな》じ国《くに》のなかで対立《たいりつ》する勢力《せいりょく》による争《あらそ》い（内戦《ないせん》）も多《おお》く含《ふく》まれています。

ウクライナやパレスチナだけではない！世界《せかい》では今《いま》も多《おお》くの人《ひと》が住《す》む場所《ばしょ》を追《お》われたり、犠牲《ぎせい》になったりしている！

★争《あらそ》いは報道《ほうどう》されないところでも起《お》きている！

残念《ざんねん》なことに、今《いま》も世界中《せかいじゅう》で紛争《ふんそう》が起《お》きています。2022年《ねん》2月《がつ》に始《はじ》まったロシアによるウクライナ侵攻《しんこう》や、2023年《ねん》10月《がつ》に起《お》きたイスラム組織《そしき》ハマスによるテロ攻撃《こうげき》に対《たい》してイスラエルが報復《ほうふく》するかたちで起《お》きた中東《ちゅうとう》の戦争《せんそう》は、日本《にっぽん》でもよく報《ほう》じられているので知《し》っている人《ひと》も多《おお》いはずです。しかし、紛争《ふんそう》は報道《ほうどう》されている国《くに》・地域《ちいき》だけで起《お》きているわけではありません。日本《にっぽん》ではあまり報道《ほうどう》されない紛争《ふんそう》が今《いま》もたくさんあります。

たとえば、中東《ちゅうとう》でのイエメンやシリアの内戦《ないせん》、ジョージアやモルドバでのロシアの軍事干渉《ぐんじかんしょう》、スーダン内戦《ないせん》などです。これらの争《あらそ》いの背景《はいけい》には宗教《しゅうきょう》や民族《みんぞく》、歴史的経緯《れきしてきけいい》、資源《しげん》や土地《とち》をめぐる争《あらそ》いといった複雑《ふくざつ》な事情《じじょう》があります。また、難民危機《なんみんきき》、人道危機《じんどうきき》、テロが広《ひろ》がったりするなど、世界的《せかいてき》な影響《えいきょう》を与《あた》えることもあります。

第《だい》1章《しょう》では、こうした紛争《ふんそう》のなかからいくつか取《と》り上《あ》げていきます。

知《し》っておくべきコトバ

ハマス

パレスチナ自治区《じちく》のガザ地区《ちく》を独自《どくじ》に支配《しはい》するイスラム組織武装勢力《そしきぶそうせいりょく》です。「ハマス」は「イスラム抵抗運動《ていこううんどう》」の略称《りゃくしょう》で、欧米諸国《おうべいしょこく》からテロ組織《そしき》に指定《してい》されています。一方《いっぽう》、ヨルダン川西岸地区《がわせいがんちく》のパレスチナ暫定自治政府《ざんていじちせいふ》も同地区《どうちく》の6割《わり》をイスラエルに占領《せんりょう》され、イスラエル人《じん》の植民活動《しょくみんかつどう》もあって、自治《じち》を阻害《そがい》されてきました。

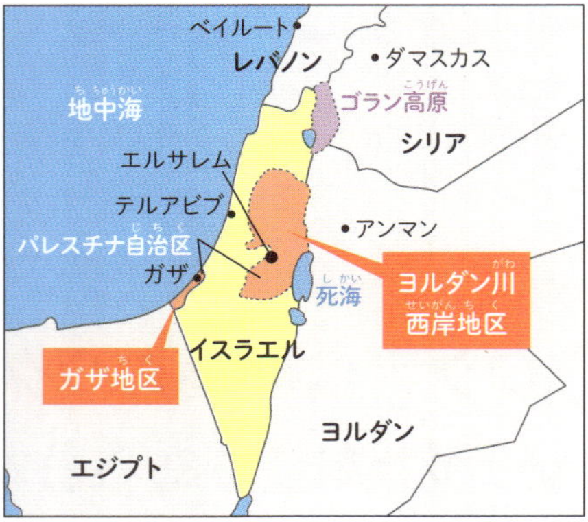

2

ロシアによる ウクライナ侵攻《しんこう》

2022年《ねん》3月《がつ》16日《にち》、ウクライナのマリウポリで市民《しみん》の避難所《ひなんじょ》となっていた劇場《げきじょう》がロシア軍《ぐん》によって空爆《くうばく》されました。市当局《しとうきょく》は避難《ひなん》していた市民《しみん》300人《にん》が死亡《しぼう》したと発表《はっぴょう》しました。

Olena Syvets / Shutterstock.com

ロシアは隣国《りんごく》のウクライナに侵攻《しんこう》した。ロシアの隣国《りんごく》である日本《にっぽん》にとっても、他人事《ひとごと》として見過《みす》ごすことはできない！

★3年《ねん》経《た》っても終《お》わらない「ウクライナ侵攻《しんこう》」

2022年《ねん》2月《がつ》24日《にじゅうよっか》、ロシアは隣国《りんごく》のウクライナに北部《ほくぶ》・東部《とうぶ》・南《なん》部《ぶ》の3方面《ほうめん》から侵攻《しんこう》しました。ウクライナの首都《しゅと》キーウへ侵攻《しんこう》したロシア軍《ぐん》は、ウクライナ軍《ぐん》の強《つよ》い抵抗《ていこう》にあって撤退《てったい》。一方《いっぽう》、ロシア系《けい》人口《じんこう》が多《おお》い東部《とうぶ》ドンバス地方《ちほう》と2014年《ねん》にロシアに併合《へいごう》されたクリミア半島《はんとう》に近《ちか》いウクライナ南部《なんぶ》では、ドローンを投入《とうにゅう》した塹壕戦《ざんごうせん》の様相《ようそう》を呈《てい》し、双方《そうほう》に多《おお》くの犠牲《ぎせい》をともなった消耗戦《しょうもうせん》が続《つづ》いています。

当初《とうしょ》プーチン大統領《だいとうりょう》は簡単《かんたん》に勝《か》てると考《かんが》えていたようです。しかし、それは大《おお》きな誤算《ごさん》でした。

欧米諸国《おうべいしょこく》は、力《ちから》による一方的《いっぽうてき》な現状変更《げんじょうへんこう》を許《ゆる》さないとの立場《たちば》からウクライナに武器《ぶき》や弾薬《だんやく》を支援《しえん》。ロシアには経済制裁《けいざいせいさい》を科《か》し、ロシア産《さん》の石油《せきゆ》やLNG《エルエヌジー》（液化天然《えきかてんねん》ガス）の輸入禁止《ゆにゅうきんし》に動《うご》きました。しかし、ロシアによるウクライナの一般市民《いっぱんしみん》やインフラへの攻撃《こうげき》は続《つづ》き、ウクライナ東部《とうぶ》では戦略的《せんりゃくてき》に勝《まさ》るロシアとの厳《きび》しい消耗戦《しょうもうせん》となりました。

国連安全保障理事会《こくれんあんぜんほしょうりじかい》は拒否権《きょひけん》（95ページ）を持《も》つ常任理事国《じょうにんりじこく》（92ページ）のロシアには効果的《こうかてき》な決議《けつぎ》を採択《さいたく》できませんでした。

知《し》っておくべきコトバ

NATO《ナトー》（北大西洋条約機構《きたたいせいようじょうやくきこう》）の東方拡大《とうほうかくだい》

NATO《ナトー》は、アメリカやヨーロッパ諸国《しょこく》などが加盟《かめい》する集団的防衛組織《しゅうだんてきぼうえいそしき》（軍事同盟《ぐんじどうめい》）で、加盟国《かめいこく》の一国《いっこく》が攻撃《こうげき》された場合《ばあい》、全加盟国《ぜんかめいこく》で防衛《ぼうえい》するしくみを持《も》ちます。冷戦後《れいせんご》、旧《きゅう》ソ連《れん》の共和国《きょうわこく》や東欧諸国《とうおうしょこく》が相次《あいつ》いで加盟《かめい》し、NATO《ナトー》の「東方拡大《とうほうかくだい》」が進《すす》みました。NATO《ナトー》の勢力《せいりょく》がロシアに向《む》かって広《ひろ》がったことに、ロシアは強《つよ》い警戒感《けいかいかん》を示《しめ》してきました。とくにウクライナのNATO《ナトー》加盟《かめい》の可能性《かのうせい》が、2022年《ねん》のロシアによるウクライナ侵攻《しんこう》の要因《よういん》のひとつと考《かんが》えられています。

3

イスラエル―ハマス戦争《せんそう》

2023年《ねん》10月《がつ》7日《なのか》、ハマスの数百人《すうひゃくにん》の戦闘員《せんとういん》がガザ地区《ちく》からイスラエルに侵入《しんにゅう》し、女性《じょせい》やこどもを含《ふく》む約《やく》1200人《にん》が殺害《さつがい》され、約《やく》250人《にん》が人質《ひとじち》として連《つ》れ去《さ》られました。イスラエルは自衛権《じえいけん》の行使《こうし》としてガザ地区《ちく》を激《はげ》しく爆撃《ばくげき》し、1年《ねん》あまりで5万人《まんにん》を超《こ》えるパレスチナ人《じん》が死亡《しぼう》しました。

? ↑ パレスチナ問題《もんだい》は過去《かこ》から続《つづ》いている土地《とち》・安全《あんぜん》・宗教《しゅうきょう》などをめぐる歴史的《れきしてき》に根深《ねぶか》く、複雑《ふくざつ》な問題《もんだい》が背景《はいけい》にある

★2023年《ねん》以降《いこう》の戦闘《せんとう》で多数《たすう》の犠牲者《ぎせいしゃ》が出《で》た

2023年《ねん》10月《がつ》、イスラエルとイスラム組織《そしき》ハマスとの間《あいだ》で戦争《せんそう》が起《お》きました。背景《はいけい》には長年《ながねん》にわたる複雑《ふくざつ》な対立《たいりつ》と抗争《こうそう》があります。

第一次世界大戦中《だいいちじせかいたいせんちゅう》にこの地《ち》を支配《しはい》していたイギリスは、アラブ人《じん》、ユダヤ人《じん》、フランスに対《たい》して互《たが》いに矛盾《むじゅん》する約束《やくそく》（三枚舌外交《さんまいじたがいこう》）をしました。これが中東全体《ちゅうとうぜんたい》に不信《ふしん》と対立《たいりつ》を生《う》む火種《ひだね》となりました。

2000年《ねん》以上《いじょう》国《くに》を持《も》てなかったユダヤ人《じん》は、ホロコーストを経《へ》て、1947年《ねん》の国連《こくれん》のパレスチナ分割決議《ぶんかつけつぎ》により、翌《よく》1948年《ねん》にユダヤ人《じん》国家《こっか》「イスラエル」を建国《けんこく》。アラブ側《がわ》はこれに反発《はんぱつ》し、イスラエルとの間《あいだ》で第一次中東戦争《だいいちじちゅうとうせんそう》が起《お》きました。イスラエルが勝利《しょうり》し、多《おお》くのパレスチナ人《じん》が住《す》んでいた土地《とち》を追《お》われ、難民《なんみん》となりました。

1973年《ねん》までに大《おお》きな戦争《せんそう》が4度《ど》起《お》きました。1993年《ねん》に両者《りょうしゃ》は、アメリカの仲介《ちゅうかい》で「オスロ合意《ごうい》」と呼《よ》ばれる歴史的《れきしてき》な和平合意《わへいごうい》を結《むす》びました。パレスチナに暫定自治区《ざんていじちく》が設置《せっち》され、将来《しょうらい》、イスラエルとパレスチナ国家《こっか》の「二国解決《にこくかいけつ》」がめざされることになりました。ところが、和平《わへい》に反対《はんたい》する勢力《せいりょく》が台頭《たいとう》し、再《ふたた》び衝突《しょうとつ》するようになりました。

知《し》っておくべきコトバ

エルサレム

ユダヤ人《じん》の住《す》む西《にし》エルサレムとおもにパレスチナ人《じん》の住《す》む東《ひがし》エルサレムからなる都市《とし》。イスラエルは東《ひがし》エルサレムを併合《へいごう》し、エルサレムとしています。東《ひがし》エルサレムにはユダヤ教《きょう》の「嘆《なげ》きの壁《かべ》」、キリスト教《きょう》の「聖墳墓教会《せいふんぼきょうかい》」、イスラム教《きょう》の「岩《いわ》のドーム」という、3宗教《しゅうきょう》の聖地《せいち》が同居《どうきょ》する旧市街《きゅうしがい》があります。

ユダヤ教《きょう》の聖地《せいち》「嘆《なげ》きの壁《かべ》」

4

軍《ぐん》、少《しょう》数《すう》民《みん》族《ぞく》、民《みん》主《しゅ》派《は》が争《あらそ》う ミャンマー内《ない》戦《せん》

2021年《ねん》2月《がつ》のクーデター後《ご》に起《お》こった民主化《みんしゅか》を求《もと》める反対派《はんたいは》のデモを国軍《こくぐん》が弾圧《だんあつ》する様子《ようす》。その後《ご》の弾圧《だんあつ》で少《すく》なくとも4000人以上《にんいじょう》が死亡《しぼう》し、計約《けいやく》2万《まん》5000人《にん》が拘束《こうそく》されています。今《いま》も各地《かくち》で国軍《こくぐん》と反政府勢力《はんせいふせいりょく》との武力衝突《ぶりょくしょうとつ》が頻発《ひんぱつ》しています。

R. Bociaga / Shutterstock.com

内《ない》戦《せん》が続《つづ》いたミャンマーでは、民《みん》主《しゅ》化《か》による和《わ》解《かい》が期《き》待《たい》されたが、軍《ぐん》のクーデターにより戦《せん》闘《とう》や抑《よく》圧《あつ》が激《げき》化《か》!

★2021年《ねん》にクーデター発生《はっせい》で混乱長期化《こんらんちょうきか》

かつてビルマと呼《よ》ばれたミャンマーでは、70年以上《ねんいじょう》にわたって内《ない》戦《せん》が続《つづ》いています。ミャンマーがイギリスの植民地《しょくみんち》となった1886年《ねん》以降《いこう》、イギリスはカレン族《ぞく》などの少数民族《しょうすうみんぞく》に教育《きょういく》を施《ほどこ》し、国民《こくみん》の約《やく》7割《わり》を占《し》めるビルマ族《ぞく》を間接的《かんせつてき》に統治《とうち》させていました。1948年《ねん》の独立《どくりつ》を機《き》にビルマ族《ぞく》が権力《けんりょく》を握《にぎ》ると、それまでの反感《はんかん》から少数民族《しょうすうみんぞく》を弾《だん》圧《あつ》。それに対《たい》し、カレン族《ぞく》などの少数民族《しょうすうみんぞく》も武装《ぶそう》して抵抗《ていこう》しました。

また、2017年《ねん》には国軍《こくぐん》による武力弾圧《ぶりょくだんあつ》を受《う》けたロヒンギャ族約《ぞくやく》100万人《まんにん》が隣国《りんごく》バングラデシュの難民《なんみん》キャンプに逃《のが》れました。

2021年《ねん》2月《がつ》にはミャンマー国軍《こくぐん》が民主派指導者《みんしゅはしどうしゃ》アウン・サン・スー・チーらを拘束《こうそく》し、非常事態《ひじょうじたい》を宣言《せんげん》して全権《ぜんけん》を掌握《しょうあく》しました。すると、民主派《みんしゅは》と国軍《こくぐん》の間《あいだ》でも武力衝突《ぶりょくしょうとつ》に発展《はってん》し、国内《こくない》は大混乱《だいこんらん》に陥《おちい》りました。一時《いちじ》は民主化《みんしゅか》を進《すす》め、日本《にっぽん》をはじめとする海外《かいがい》からの投資《とうし》も増大《ぞうだい》して経済発展《けいざいはってん》が期待《きたい》された国《くに》は、暴力《ぼうりょく》と圧制《あっせい》のなかにあります。ミャンマーもメンバーである東南《とうなん》アジア諸国連合《しょこくれんごう》（ASEAN《アセアン》）の対話仲介努力《たいわちゅうかいどりょく》にも進展《しんてん》は見《み》られず、その信頼性《しんらいせい》が問《と》われています。

知《し》っておくべきコトバ

アウン・サン・スー・チー

ミャンマーの民主化運動《みんしゅかうんどう》の象徴的存在《しょうちょうてきそんざい》で、民主化運動《みんしゅかうんどう》への貢献《こうけん》により1991年《ねん》にノーベル平和賞《へいわしょう》を受賞《じゅしょう》しました。2015年《ねん》の選挙《せんきょ》で彼女《かのじょ》が率《ひき》いる国民民主連盟《こくみんみんしゅれんめい》が勝利《しょうり》を収《おさ》め、民主化《みんしゅか》を進《すす》めるための新《あたら》しい政府《せいふ》を樹立《じゅりつ》しましたが、2021年《ねん》のクーデターで発足《ほっそく》した軍事政権《ぐんじせいけん》によって軟禁状態《なんきんじょうたい》に置《お》かれています。

アウン・サン・スー・チー

©European Union, 2017

5

核戦争《かくせんそう》の危険《きけん》も懸念《けねん》される カシミール紛争《ふんそう》

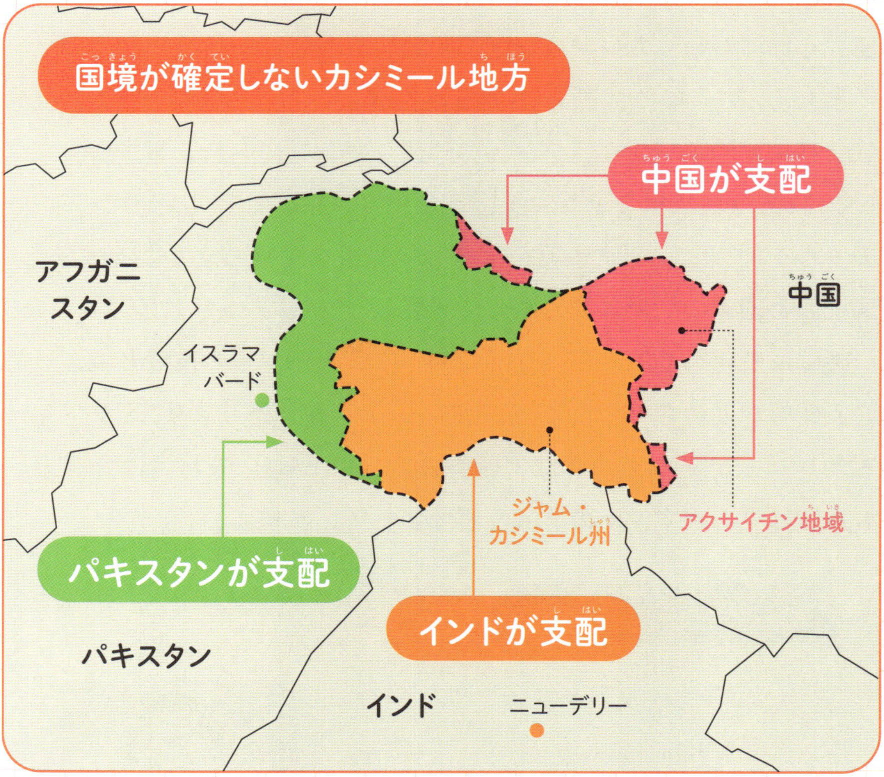

カシミール地方《ちほう》にある点線《てんせん》は、国境《こっきょう》が定《さだ》まっていないことを表《あらわ》しており、3カ国《こく》が領有権《りょうゆうけん》をめぐって争《あらそ》っている!

★インド、パキスタン、中国《ちゅうごく》が領有権《りょうゆうけん》を争《あらそ》う

1947年《ねん》にヒンドゥー教徒《きょうと》の国《くに》であるインドと、イスラム教徒《きょうと》の国《くに》パキスタンがイギリスから独立《どくりつ》しました。その際《さい》、ヒンドゥー教徒《きょうと》の君主《くんしゅ》が支配《しはい》していたにもかかわらず、ムスリム住民《じゅうみん》が多数《たすう》を占《し》めていたカシミール地方《ちほう》の領有権《りょうゆうけん》が争点《そうてん》となり、両国間《りょうこくかん》で3度《ど》の大規模武力紛争《だいきぼぶりょくふんそう》が発生《はっせい》しました。左《ひだり》の地図《ちず》に示《しめ》されるとおり、3国《こく》が支配《しはい》する地域《ちいき》は点線《てんせん》で囲《かこ》まれており、国境《こっきょう》は確定《かくてい》されていません。

紛争《ふんそう》はインドと中国《ちゅうごく》の間《あいだ》でも起《お》きました。1962年《ねん》には、インドが実効支配《じっこうしはい》していたアクサイチン地域《ちいき》（左《ひだり》ページの地図《ちず》）をめぐって国境紛争《こっきょうふんそう》が発生《はっせい》し、中国《ちゅうごく》が占拠《せんきょ》しました。両国《りょうこく》は火器《かき》の不使用《ふしよう》に合意《ごうい》はしましたが、2020年《ねん》には、くぎを打《う》ちつけたこん棒《ぼう》やワイヤーを巻《ま》きつけた石《いし》を使《つか》った戦闘《せんとう》が行《おこな》われ、双方《そうほう》に犠牲者《ぎせいしゃ》が出《で》ました。

中国《ちゅうごく》とパキスタンの関係《かんけい》は緊密《きんみつ》で、対立《たいりつ》は中国《ちゅうごく》・パキスタン対《たい》インドという構図《こうず》になっています。3カ国《こく》とも核兵器保有国《かくへいきほゆうこく》のため、武力紛争《ぶりょくふんそう》がエスカレートすれば核戦争《かくせんそう》の危険《きけん》もあり、相互《そうご》の自制《じせい》が求《もと》められます。カシミール紛争《ふんそう》は三国間《さんごくかん》の問題《もんだい》を超《こ》える国際的懸念《こくさいてきけねん》なのです。

知《し》っておくべきコトバ

ムスリム

イスラム教《きょう》を信仰《しんこう》するイスラム教徒《きょうと》のこと。非《ひ》イスラム圏《けん》では性別《せいべつ》問《と》わずイスラム教徒《きょうと》のことを「ムスリム」と呼《よ》びますが、イスラム圏《けん》では男性信者《だんせいしんじゃ》は「ムスリム」、女性信者《じょせいしんじゃ》は「ムスリマ」と使《つか》い分《わ》けています。豚肉《ぶたにく》やお酒《さけ》の飲食《いんしょく》が禁《きん》じられるなどの生活習慣上《せいかつしゅうかんじょう》のタブーがあります。

ヒジャブをかぶるイランの女学生《じょがくせい》

Ekaterina Khudina / Shutterstock.com

6

世界《せかい》最多《さいた》の難民《なんみん》を生《う》んだ シリア内戦《ないせん》

2023年《ねん》2月《がつ》に撮影《さつえい》されたシリア北西部《ほくせいぶ》イドリブの国内避難民《こくないひなんみん》のためのキャンプ。戦火《せんか》を逃《のが》れるため安全《あんぜん》な場所《ばしょ》に移動《いどう》したはずでしたが、2023年《ねん》2月《がつ》6日《むいか》にトルコ・シリア大地震《おおじしん》の被害《ひがい》を受《う》けるなど、さらなる苦境《くきょう》にさらされました。

Mohammad Bash / Shutterstock.com

内戦《ないせん》が長《なが》く続《つづ》いたシリアでは、505万人《まんにん》が国外《こくがい》へ逃《に》げて難民《なんみん》に、720万人《まんにん》が国内避難民《こくないひなんみん》になって過酷《かこく》な状況《じょうきょう》に置《お》かれていた！

★政府《せいふ》軍《ぐん》と反政府《はんせいふ》軍《ぐん》の内戦《ないせん》で国内《こくない》は混乱《こんらん》

中東《ちゅうとう》のシリアでは、父親《ちちおや》に続《つづ》いて独裁政治《どくさいせいじ》を行《おこな》うアサド大統領《だいとうりょう》に不《ふ》満《まん》を持《も》つ人々《ひとびと》が、2010 年末《ねんまつ》にアラブ諸国《しょこく》で起《お》きた「アラブの春《はる》」と呼《よ》ばれる民主化要求《みんしゅかようきゅう》デモを背景《はいけい》に反政府《はんせいふ》デモを起《お》こしました。これをアサド大統領《だいとうりょう》が力《ちから》ずくで鎮圧《ちんあつ》したため武力衝突《ぶりょくしょうとつ》に発展《はってん》。やがて国全体《くにぜんたい》を巻《ま》き込《こ》む内戦《ないせん》に陥《おちい》りました。スンニ派《は》とシーア派《は》の宗教対立《しゅうきょうたいりつ》や、外《がい》国《こく》の干渉《かんしょう》（ロシアがアサド政権《せいけん》を、アメリカなどが反体制派《はんたいせいは》を支援《しえん》）もあって、内戦《ないせん》は複雑化《ふくざつか》しました。

内戦《ないせん》の長期化《ちょうきか》で多《おお》くのシリア人《じん》がトルコなど周辺国《しゅうへんこく》やドイツなど欧《おう》州諸国《しゅうしょこく》に逃《のが》れました。

2024 年《ねん》12 月《がつ》に事態《じたい》は一変《いっぺん》しました。反体制派《はんたいせいは》が首都《しゅと》ダマスカスに進撃《しんげき》すると、アサド大統領《だいとうりょう》はロシアに亡命《ぼうめい》。父子《ふし》2 代《だい》で 50 年以上《ねんいじょう》にわたった独裁体制《どくさいたいせい》は崩壊《ほうかい》しました。

しかし、国外《こくがい》に逃《のが》れた難民《なんみん》、シリア国内《こくない》で逃《に》げている避難民《ひなんみん》が安心《あんしん》して帰還《きかん》できる状況《じょうきょう》にはほど遠《とお》く、支援《しえん》を必要《ひつよう》とする人々《ひとびと》が多《おお》くいます。国内《こくない》の安定《あんてい》と復興《ふっこう》は容易《ようい》なことではありません。

知《し》っておくべきコトバ

難民危機《なんみんきき》

中東《ちゅうとう》やアフリカから戦争《せんそう》や貧困《ひんこん》を逃《のが》れてヨーロッパの国々《くにぐに》をめざす人々《ひとびと》が急増《きゅうぞう》し、政治的《せいじてき》・社会的《しゃかいてき》問題《もんだい》になりました。難民《なんみん》を受《う》け入《い》れる国々《くにぐに》には、助《たす》けようとする人《ひと》がいる一方《いっぽう》、治安《ちあん》の悪化《あっか》や異文《いぶん》化《か》の浸透《しんとう》を恐《おそ》れる反移民《はんいみん》の動《うご》きも強《つよ》まっており、受《う》け入《い》れを制限《せいげん》せざるを得《え》ない状況《じょうきょう》です。

ドイツにやってきたシリア難民《なんみん》

Jazzmany / Shutterstock.com

7

世《せ》界《かい》最《さい》悪《あく》の人《じん》道《どう》危《き》機《き》に陥《おちい》る
イエメン内《ない》戦《せん》

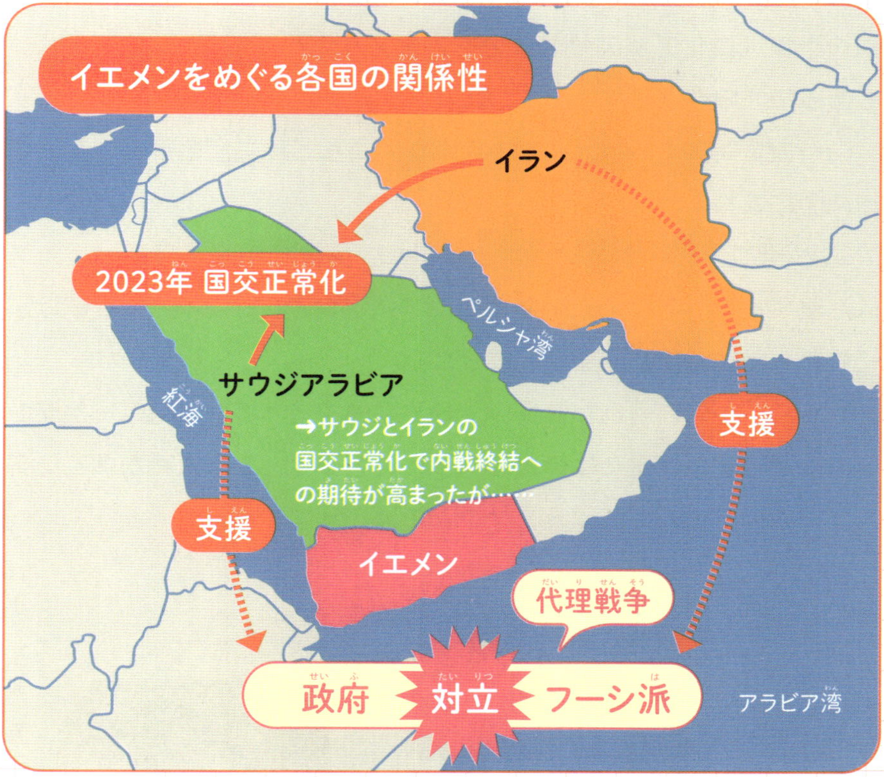

内戦《ないせん》が長期化《ちょうきか》するイエメンは、国民《こくみん》の多《おお》くが貧困《ひんこん》や食料危機《しょくりょうきき》に苦《くる》しむなど、世界最悪《せかいさいあく》と呼《よ》ばれる人道危機《じんどうきき》に陥《おちい》っている

★政治《せいじ》・宗教《しゅうきょう》・部族間《ぶぞくかん》の対立《たいりつ》で泥沼化《どろぬまか》した！

2014年《ねん》9月《がつ》、反政府勢力《はんせいふせいりょく》フーシ派《は》がクーデターを起《お》こしてイエメンの首都《しゅと》サナアを制圧《せいあつ》すると、大統領《だいとうりょう》は国外《こくがい》に逃亡《とうぼう》。これを契機《けいき》にイエメンで内戦《ないせん》が始《はじ》まりました。政権側《せいけんがわ》はイスラム教《きょう》スンニ派《は》のサウジアラビアから支援《しえん》、フーシ派《は》はイスラム教《きょう》シーア派《は》のイランから支援《しえん》をそれぞれ受《う》けており、「サウジアラビアとイランの代理戦争《だいりせんそう》」ともいわれてきました。政治的対立《せいじてきたいりつ》、宗教対立《しゅうきょうたいりつ》、部族間対立《ぶぞくかんたいりつ》などの要因《よういん》が複雑《ふくざつ》にからみ合《あ》って戦闘《せんとう》が泥沼化《どろぬまか》し、貧困《ひんこん》や食糧難《しょくりょうなん》、コレラなどの感《かん》染症《せんしょう》の広《ひろ》がりもあって多《おお》くのイエメン人《じん》が命《いのち》を落《お》としました。国《くに》を追《お》われた人《ひと》は人口《じんこう》の6割《わり》を超《こ》え、人道支援《じんどうしえん》が必要《ひつよう》とされています。

2023年《ねん》には中国《ちゅうごく》の仲介《ちゅうかい》で長年対立《ながねんたいりつ》していたサウジアラビアとイランが国交正常化《こっこうせいじょうか》に合意《ごうい》しましたが、2024年《ねん》に入《はい》ると、ハマスを支援《しえん》するかたちでフーシ派《は》がイスラエルにミサイル攻撃《こうげき》を行《おこな》ったり、紅海《こうかい》を航行《こうこう》する船舶《せんぱく》を攻撃《こうげき》しました。これに対《たい》しアメリカ中心《ちゅうしん》の有志連合《ゆうしれんごう》が結成《けっせい》され、民間船舶《みんかんせんぱく》の護衛《ごえい》にあたるほか、フーシ派《は》の拠点《きょてん》を攻撃《こうげき》しています。

知《し》っておくべきコトバ

フーシ派《は》

イエメン北西部《ほくせいぶ》を拠点《きょてん》とするイスラム教《きょう》シーア派《は》の一派《いっぱ》。イランが支援《しえん》しており、イスラム組織《そしき》ハマス（11ページ）やイスラエルの隣国《りんごく》レバノンのヒズボラとともに、イスラエルやアメリカを敵視《てきし》しています。フーシの旗《はた》（右《みぎ》の写真《しゃしん》）には、「アッラーは最《もっと》も偉大《いだい》なり。アメリカに死《し》を。イスラエルに死《し》を。ユダヤ教徒《きょうと》に呪《のろ》いを。イスラムに勝利《しょうり》を」と書《か》かれています。

フーシ派《は》の旗《はた》

8

まだ終《お》わっていない 朝鮮戦争《ちょうせんせんそう》

1950年《ねん》6月《がつ》に北朝鮮軍《きたちょうせんぐん》に攻略《こうりゃく》されたソウルを、国連軍《こくれんぐん》が奪還《だっかん》した同年《どうねん》9月《がつ》の様子《ようす》。国連軍《こくれんぐん》の戦車《せんしゃ》と韓国軍《かんこくぐん》が、手《て》を上《あ》げた北朝鮮《きたちょうせん》の捕虜《ほりょ》を整列《せいれつ》して歩《ある》かせています。しかし、同年《どうねん》12月《がつ》には北朝鮮《きたちょうせん》を支援《しえん》する中国軍《ちゅうごくぐん》に、ソウルは再度占領《さいどせんりょう》されることになりました。

? 韓国《かんこく》と北朝鮮《きたちょうせん》は、国際法上《こくさいほうじょう》ではいまだに戦争状態《せんそうじょうたい》にある。現在《げんざい》も北緯《ほくい》38度線《どせん》では、厳重《げんじゅう》な警戒態勢《けいかいたいせい》が続《つづ》いている

★朝鮮戦争《ちょうせんせんそう》は「休戦《きゅうせん》」状態《じょうたい》が続《つづ》いている

1950年《ねん》6月《がつ》25日《にち》、武力《ぶりょく》による国家《こっか》の統一《とういつ》をめざして北朝鮮《きたちょうせん》が韓《かん》国《こく》に攻《せ》め込《こ》んだことで、「朝鮮戦争《ちょうせんせんそう》」が始《はじ》まりました。国連《こくれん》はアメリカ軍《ぐん》を主力《しゅりょく》とする国連軍《こくれんぐん》を派遣《はけん》して韓国《かんこく》を支援《しえん》。中国《ちゅうごく》は義勇軍《ぎゆうぐん》を送《おく》って北朝鮮《きたちょうせん》を支援《しえん》しました。3年間《ねんかん》におよんだ激《はげ》しい戦闘《せんとう》の末《すえ》、1953年《ねん》に休戦協定《きゅうせんきょうてい》が結《むす》ばれましたが、あくまでも「休戦《きゅうせん》」で、戦争《せんそう》が完全《かんぜん》に終《お》わったわけではありません。現在《げんざい》も、両国《りょうこく》は北緯《ほくい》38度線《どせん》に設置《せっち》された軍事境界線《ぐんじきょうかいせん》をはさんで緊張状態《きんちょうじょうたい》が続《つづ》いています。

この戦争《せんそう》を完全《かんぜん》に終《お》わらせるには、「平和条約《へいわじょうやく》」を締結《ていけつ》する必要《ひつよう》があります。しかし、北朝鮮《きたちょうせん》は制裁解除《せいさいかいじょ》や在韓米軍撤退《ざいかんべいぐんてったい》を求《もと》め、韓国《かんこく》やアメリカは北朝鮮《きたちょうせん》の核廃棄《かくはいき》を求《もと》めており、意見《いけん》の隔《へだ》たりは大《おお》きいままです。北朝鮮《きたちょうせん》の核《かく》の問題《もんだい》をめぐっては、日本《にっぽん》、アメリカ、韓国《かんこく》、中《ちゅう》国《ごく》、ロシア、北朝鮮《きたちょうせん》が参加《さんか》した六者協議《ろくしゃきょうぎ》や、トランプ大統領《だいとうりょう》と北朝鮮《きたちょうせん》の金正恩《キム・ジョンウン》朝鮮労働党委員長《ちょうせんろうどうとういいんちょう》（現《げん》・総書記《そうしょき》）による米朝対話《べいちょうたいわ》で解決《かいけつ》をめざしてきました。しかし、北朝鮮《きたちょうせん》は核廃棄《かくはいき》の約束《やくそく》はしても実行《じっこう》せず、ミサイル発射《はっしゃ》による挑発《ちょうはつ》を繰《く》り返《かえ》すなど、強硬姿勢《きょうこうしせい》を続《つづ》けています。

知《し》っておくべきコトバ

板門店《パンムンジョム》

朝鮮半島《ちょうせんはんとう》の北緯《ほくい》38度線《どせん》付近《ふきん》に位置《いち》する、韓国《かんこく》と北朝鮮《きたちょうせん》の軍事境界線上《ぐんじきょうかいせんじょう》のエリア。1953年《ねん》の朝鮮戦争《ちょうせんせんそう》の休戦協定《きゅうせんきょうてい》はここにある会談施設《かいだんしせつ》で署《しょ》名《めい》されました。現在《げんざい》は非武装地帯《ひぶそうちたい》（DMZ《ディーエムゼット》）内《ない》にあり、国連軍司令部《こくれんぐんしれいぶ》（韓国軍《かんこくぐん》とアメリカ軍《ぐん》）と北朝鮮軍《きたちょうせんぐん》が向《む》かい合《あ》って警備《けいび》しています。

軍事境界線《ぐんじきょうかいせん》をまたぐ板門店《パンムンジョム》

Christian Ouellet / Shutterstock.com

COLUMN：知《し》っておきたいノーベル平和賞受賞者《へいわしょうじゅしょうしゃ》❶

ヤーセル・アラファトとイツハク・ラビン

ヤーセル・アラファト（1929–2004年《ねん》）は、1959年《ねん》にパレスチナ独立《どくりつ》をめざす政党《せいとう》「ファタハ」を設立《せつりつ》。のちにパレスチナ解放機構《かいほうきこう》（PLO《ピーエルオー》）の中心勢力《ちゅうしんせいりょく》となり、アラファトはパレスチナ人《じん》の代表《だいひょう》として存在感《そんざいかん》を高《たか》めました。一方《いっぽう》、イツハク・ラビン（1922–1995年《ねん》）はイスラエル建国時《けんこくじ》から軍《ぐん》で要職《ようしょく》を歴任《れきにん》し、のちに首相《しゅしょう》としてイスラエルの安全《あんぜん》と中東《ちゅうとう》の和平《わへい》の両立《りょうりつ》をめざしました。

1993年《ねん》にアメリカの仲介《ちゅうかい》でパレスチナとイスラエルは、オスロ合意《ごうい》に署名《しょめい》し、ふたりは歴史的《れきしてき》な握手《あくしゅ》を交《か》わします。イスラエルがPLO《ピーエルオー》をパレスチナの正当《せいとう》な代表《だいひょう》と認《みと》め、パレスチナ側《がわ》はイスラエルの存在《そんざい》を承認《しょうにん》したこの合意《ごうい》により、翌《よく》1994年《ねん》にはアラファトとラビン、そしてイスラエルのペレス外相《がいしょう》はノーベル平和賞《へいわしょう》を共同受賞《きょうどうじゅしょう》しました。

しかし、1995年《ねん》、ラビン首相《しゅしょう》は過激《かげき》なユダヤ人青年《じんせいねん》に暗殺《あんさつ》され、アラファトも過激派《かげきは》との対立《たいりつ》や政治的混乱《せいじてきこんらん》に直面《ちょくめん》。ふたりの握手《あくしゅ》は今《いま》も希望《きぼう》の象徴《しょうちょう》とされますが、その後《ご》は対立《たいりつ》が深《ふか》まり、14ページにあるように和平《わへい》にはほど遠《とお》い状況《じょうきょう》です。

握手《あくしゅ》するアラファトとラビン

第《だい》2章《しょう》

なぜ戦《せん》争《そう》はなくならないのだろう?

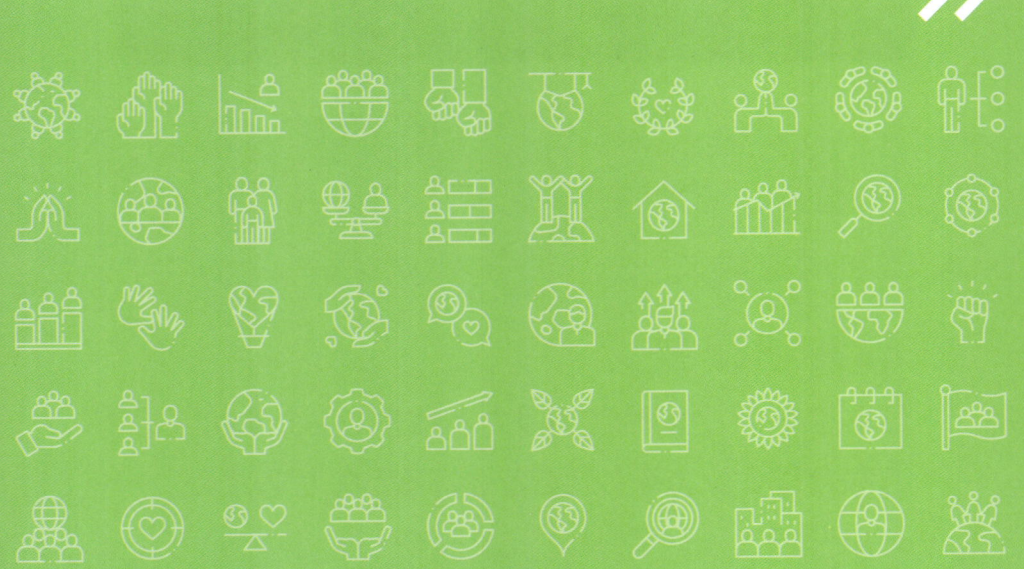

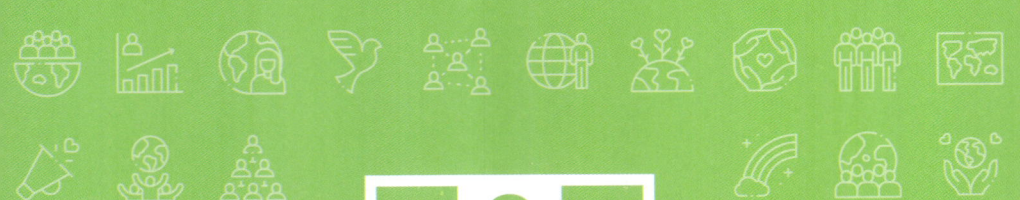

1

なぜ戦争《せんそう》が起《お》きてしまうのだろう?

国家《こっか》は戦争《せんそう》を繰《く》り返《かえ》してきた!
国家《こっか》はなぜ戦争《せんそう》をするのだろうか?

Anas-Mohammed / Shutterstock.com

考《かんが》えてみよう

- 日本《にっぽん》はなぜ中国《ちゅうごく》やアメリカと戦争《せんそう》をしたのだろう?
- あなたはケンカをしたことはある? なぜしたの?

★戦争《せんそう》には、いろんな理由《りゆう》がある

戦争《せんそう》の原因《げんいん》はひとつではなく、いろいろな理由《りゆう》がからみ合《あ》っています。たとえば、1000 万人《まんにん》ともいわれる犠牲者《ぎせいしゃ》を出《だ》した第一次世界大《だいいちじせかいたい》戦《せん》では、「大国《たいこく》が植民地《しょくみんち》を取《と》り合《あ》っていたこと」、「大国《たいこく》が 2 つのグループに分《わ》かれて対立《たいりつ》していたため、小《ちい》さな事件《じけん》がたちまち両《りょう》グループの衝突《しょうとつ》に発展《はってん》する危険《きけん》があったこと」、「国民《こくみん》の経済《けいざい》・社会的不満《しゃかいてきふまん》を外《そと》に向《む》けようとした政治家《せいじか》や戦争《せんそう》を支持《しじ》した国民《こくみん》が少《すく》なくなかったこと」、「軍部《ぐんぶ》を中心《ちゅうしん》に戦争《せんそう》の準備《じゅんび》に一生懸命《いっしょうけんめい》だったこと」など、さまざまな理由《りゆう》が重《かさ》なっていました。

この章《しょう》では、「戦争《せんそう》はなぜ起《お》きるのか」を考《かんが》えていきます。戦争《せんそう》を繰《く》り返《かえ》してきた国家《こっか》とは何《なに》かを考《かんが》え、国家《こっか》を動《うご》かす人間《にんげん》の本性《ほんしょう》についても探究《たんきゅう》する必要《ひつよう》がありそうです。

国際政治学《こくさいせいじがく》においては、国家《こっか》は安全《あんぜん》や繁栄《はんえい》といった目的《もくてき》（国家利益《こっかりえき》＝「国益《こくえき》」）を追求《ついきゅう》し、ほかの国家《こっか》の利益《りえき》と衝突《しょうとつ》することもあります。外交《がいこう》で平和的《へいわてき》に解決《かいけつ》できなければ戦争《せんそう》になることもあるのです。

国民《こくみん》の命《いのち》や暮《く》らしを守《まも》るためには国家《こっか》は強《つよ》くなければならず、国家《こっか》が強《つよ》くあることで、競争心《きょうそうしん》や名誉欲《めいよよく》が満《み》たされると感《かん》じる人《ひと》は少《すく》なくないでしょう。そうした気持《きも》ち（ナショナリズム、45 ページ）が、国民《こくみん》の間《あいだ》で高《たか》まれば、軍事力《ぐんじりょく》や領土《りょうど》や資源《しげん》を求《もと》める国家行動《こっかこうどう》を促《うなが》すことになります。

国連憲章《こくれんけんしょう》は自衛権《じえいけん》（117 ページ）以外《いがい》の武力行使《ぶりょくこうし》を禁《きん》じています。テロにいたっては、その理由《りゆう》がなんであれ、罪《つみ》のない人々《ひとびと》の命《いのち》を奪《うば》うことは許《ゆる》されません。しかし、戦争《せんそう》やテロは絶《た》えることはなく続《つづ》いてきました。やはり、その原因《げんいん》を探《さぐ》り、それを除去《じょきょ》する努力《どりょく》が必要《ひつよう》といえるでしょう。一緒《いっしょ》に考《かんが》えてみましょう。

2

人《にん》間《げん》の本《ほん》性《しょう》とは？
平《へい》和《わ》的《てき》？ それとも暴《ぼう》力《りょく》的《てき》？

人《にん》間《げん》の本《ほん》性《しょう》について考《かんが》えてみよう

人《にん》間《げん》は狼《おおかみ》で、暴《ぼう》力《りょく》的《てき》だ！

思《し》想《そう》家《か》・哲《てつ》学《がく》者《しゃ》
トマス・ホッブズ
Thomas Hobbes
（1588–1679年《ねん》）

人《にん》間《げん》はもともと平《へい》和《わ》を好《この》む！

哲《てつ》学《がく》者《しゃ》・政《せい》治《じ》思《し》想《そう》家《か》
ジャン=ジャック・ルソー
Jean-Jacques Rousseau
（1712–1778年《ねん》）

暴《ぼう》力《りょく》をする人《にん》間《げん》の性《せい》質《しつ》は変《か》わらない！

国《こく》際《さい》政《せい》治《じ》学《がく》者《しゃ》
ハンス・モーゲンソー
Hans Morgenthau
（1904-1980年《ねん》）

人《にん》間《げん》には壊《こわ》したいという本《ほん》能《のう》がある！

心《しん》理《り》学《がく》者《しゃ》・精《せい》神《しん》科《か》医《い》
ジークムント・フロイト
Sigmund Freud
（1856–1939年《ねん》）

人《にん》間《げん》は好《こう》戦《せん》的《てき》動《どう》物《ぶつ》なのだろうか？
それとも何《なに》かが人《にん》間《げん》を攻《こう》撃《げき》的《てき》にするのだろうか？

？ 考《かんが》えてみよう

● カッとなって暴《ぼう》力《りょく》を振《ふ》るってしまったことはない？ あるなら、なぜそんな状《じょう》態《たい》になったかを考《かんが》えて！

★人間《にんげん》は本当《ほんとう》に平和《へいわ》を望《のぞ》んでいるだろうか？

「戦争《せんそう》は、なぜ起《お》こるのか」という問《と》いに対《たい》して、昔《むかし》から多《おお》くの人《ひと》が真剣《しんけん》に考《かんが》えてきました。

17世紀《せいき》のイギリスに、トマス・ホッブズという思想家《しそうか》がいました。ホッブズは、警察《けいさつ》や裁判所《さいばんしょ》のような国家権力《こっかけんりょく》がないジャングルの世界《せかい》（ルールのない世界《せかい》）では、人間《にんげん》は互《たが》いに狼《おおかみ》であり、自分《じぶん》の身《み》を守《まも》るためには暴力《ぼうりょく》を振《ふ》るうことも人間《にんげん》がもともと持《も》っている「自分《じぶん》を守《まも》る権利《けんり》（自然権《しぜんけん》）」として認《みと》められると主張《しゅちょう》しました。

一方《いっぽう》、18世紀《せいき》のフランスの哲学者《てつがくしゃ》ジャン＝ジャック・ルソーは、「人間《にんげん》はもともと平和《へいわ》を好《この》む存在《そんざい》」と考《かんが》えました。

第二次世界大戦後《だいにじせかいたいせんご》、国際政治学《こくさいせいじがく》の父《ちち》といわれたハンス・モーゲンソーは、「人間《にんげん》は自分《じぶん》の利益《りえき》を第一《だいいち》に考《かんが》え、力《ちから》や地位《ちい》、栄光《えいこう》を求《もと》めたがる。たとえ時代《じだい》が変《か》わっても、人間《にんげん》のこうした性質《せいしつ》は変《か》わらない」——だから、戦争《せんそう》は繰《く》り返《かえ》されると指摘《してき》しました。

心理学《しんりがく》の視点《してん》から戦争《せんそう》を考《かんが》えたのがジークムント・フロイトです。ふだんはおだやかな人《ひと》でも、戦場《せんじょう》へ行《い》けば敵《てき》の兵士《へいし》を殺《ころ》すために銃《じゅう》を撃《う》ち、人《ひと》が変《か》わったように激《はげ》しい攻撃性《こうげきせい》を見《み》せることがあります。フロイトによれば、「人間《にんげん》には、心《こころ》の奥《おく》に“壊《こわ》したい”という本能《ほんのう》（＝破壊《はかい》の欲動《よくどう》）があり、それはなくすことができない」というのです。

答《こた》えはこのようにさまざまです。つまり、それほど「人間《にんげん》の本性《ほんしょう》」を解明《かいめい》するのは難《むずか》しいということなのでしょう。

あなたは「人間《にんげん》の本性《ほんしょう》」をどう考《かんが》えますか。簡単《かんたん》には答《こた》えは出《だ》せないかもしれません。しかし、戦争《せんそう》をするのは人間《にんげん》ですから、戦争《せんそう》をなくすためには、自分《じぶん》を含《ふく》め人間《にんげん》はどうあるべきかについて考《かんが》え続《つづ》けることが大切《たいせつ》なのだろうと思《おも》います。

3

国際《こくさい》社会《しゃかい》という構造《こうぞう》が戦争《せんそう》を引《ひ》き起《お》こす

「安全保障《あんぜんほしょう》のジレンマ」とは?

A《エー》さん

B《ビー》さんが攻撃《こうげき》してきたらこわいから棒《ぼう》を持《も》っておこう!

A《エー》さんが棒《ぼう》を持《も》ってる。叩《たた》かれたらどうしよう……。自分《じぶん》も棒《ぼう》を持《も》っておこう!

B《ビー》さん

A《エー》さん

B《ビー》さんが棒《ぼう》を持《も》ったからもっと強力《きょうりょく》な武器《ぶき》を用意《ようい》したほうがいいかも!

自分《じぶん》を守《まも》るつもりでも相手《あいて》には「襲《おそ》ってくるかも」と恐《おそ》れられることがあるんです。

国《くに》と国《くに》でも同《おな》じことが起《お》こる!
お互《たが》いにどんどん軍備《ぐんび》をエスカレートさせてしまうのが「安全保障《あんぜんほしょう》のジレンマ」!

考《かんが》えてみよう

- 世界警察《せかいけいさつ》があれば平和《へいわ》になると思《おも》う?
- 国同士《くにどうし》の争《あらそ》いを止《と》めるしくみはあるのだろうか?

★国家《こっか》を取《と》り締《し》まる“世界《せかい》の警察《けいさつ》”はいない

ちょっと想像《そうぞう》してみてください。家《いえ》でも学校《がっこう》でも、だれにも注意《ちゅうい》されなかったらどうなるでしょうか。宿題《しゅくだい》をさぼったり、ゲームをやり放題《ほうだい》になって歯止《はど》めが効《き》かなくなるかもしれません。

30ページでも触《ふ》れたトマス・ホッブズは、著書《ちょしょ》『リヴァイアサン』のなかで、ルールも警察《けいさつ》もないような世界《せかい》では、人間《にんげん》は自分《じぶん》の身《み》を守《まも》るために争《あらそ》い合《あ》うようになると考《かんが》えました。ホッブズのいう「万人《ばんにん》の万人《ばんにん》に対《たい》する戦《たたか》い」の世界《せかい》では、人類《じんるい》は滅《ほろ》びてしまうでしょう。ホッブズは、そうならないよう、自然権《しぜんけん》（31ページ）を国家《こっか》に委《ゆだ》ね、その集合体《しゅうごうたい》である主権《しゅけん》——すなわち、警察《けいさつ》や軍隊《ぐんたい》などに暴力《ぼうりょく》を独占《どくせん》させることによって社会《しゃかい》の安全《あんぜん》が維持《いじ》されると説《と》いたのです。

ところが、国《くに》と国《くに》の関係《かんけい》ではそうはいきません。たとえば、北朝鮮《きたちょうせん》が加盟国《かめいこく》として守《まも》るべき国連憲章《こくれんけんしょう》の規定《きてい》を破《やぶ》って日本《にっぽん》に核《かく》ミサイルを発射《はっしゃ》したとします。このとき、北朝鮮《きたちょうせん》という国《くに》（実際《じっさい》には金正恩総書《キムジョンウンそうしょ》記《き》）を逮捕《たいほ》する警察《けいさつ》も、処罰《しょばつ》できる裁判所《さいばんしょ》も存在《そんざい》しません。国連《こくれん》の安《あん》全《ぜん》保障理事会《ほしょうりじかい》の決議《けつぎ》は常任理事国《じょうにんりじこく》が一国《いっこく》でも反対《はんたい》すれば採択《さいたく》できません。国際司法裁判所《こくさいしほうさいばんしょ》や国際刑事裁判所《こくさいけいじさいばんしょ》も判決《はんけつ》は下《くだ》せても、それを強制《きょうせい》的《てき》に実施《じっし》する執行機関《しっこうきかん》は存在《そんざい》しません（95ページ）。

このような「ルールを守《まも》らせる力《ちから》がない世界《せかい》」は、ホッブズの描《えが》いた「無政府状態《むせいふじょうたい》（アナーキー）」に近《ちか》いといえます。そんな世界《せかい》では、ある国《くに》が安全《あんぜん》のために軍事力強化《ぐんじりょくきょうか》に努《つと》めると、それを脅威《きょうい》に感《かん》じる周《しゅう》辺国《へんこく》も軍事力強化《ぐんじりょくきょうか》に努《つと》めます。安全《あんぜん》のための努力《どりょく》がかえって安全《あんぜん》を脅《おびや》かすことになってしまう——これを「安全保障《あんぜんほしょう》のジレンマ」と呼《よ》びます。戦争《せんそう》のひとつの原因《げんいん》は、このような国際社会《こくさいしゃかい》の構造《こうぞう》によって生《う》まれる国家間《こっかかん》の不信感《ふしんかん》と不安《ふあん》の増大《ぞうだい》にあるのです。

4

なぜ「宗教《しゅうきょう》」の対立《たいりつ》が起《お》こるのだろう？

過去《かこ》に起《お》きた宗教《しゅうきょう》をめぐる争《あらそ》い

時期《じき》	争《あらそ》いの名称《めいしょう》	概要《がいよう》
11世紀《せいき》〜 13世紀《せいき》	十字軍運動《じゅうじぐんうんどう》	西欧《せいおう》のキリスト教徒《きょうと》が聖地《せいち》エルサレムの回復《かいふく》を目的《もくてき》としてイスラム教徒《きょうと》などの異教徒討伐《いきょうととうばつ》を8回《かい》にわたって行《おこな》った軍事遠征《ぐんじえんせい》。
1562年《ねん》〜 1598年《ねん》	ユグノー戦争《せんそう》	フランスのカトリックとプロテスタント（ユグノー）が、休戦《きゅうせん》をはさみつつも40年近《ねんちか》くにわたり8度《ど》も戦《たたか》った内戦《ないせん》。
1618年《ねん》〜 1648年《ねん》	三十年戦争《さんじゅうねんせんそう》	神聖《しんせい》ローマ帝国《ていこく》でカトリックとプロテスタントの間《あいだ》で起《お》きた宗教的《しゅうきょうてき》対立《たいりつ》。ヨーロッパ各地《かくち》に広《ひろ》がり、800万人以上《まんにんいじょう》の死者《ししゃ》を出《だ》した。
1922年《ねん》〜 1998年《ねん》	北《きた》アイルランド戦争《せんそう》	アイルランドの南《みなみ》はカトリック、北《きた》はプロテスタント。アイルランド独立時《どくりつじ》に北《きた》はイギリスに残《のこ》ったが、少数派《しょうすうは》のカトリックとの抗争《こうそう》が続《つづ》いた。1998年《ねん》に和平合意《わへいごうい》。
1988年《ねん》〜 2023年《ねん》	ナゴルノ・カラバフ戦争《せんそう》	アルメニア人《じん》（キリスト教《きょう》）が多数《たすう》を占《し》める同地域《どうちいき》の支配《しはい》をめぐるアルメニアとアゼルバイジャン（イスラム教《きょう》）との戦争《せんそう》。

宗教《しゅうきょう》は、人々《ひとびと》の心《こころ》を支《ささ》える大切《たいせつ》な存在《そんざい》である一方《いっぽう》で、ときに「違《ちが》い」が争《あらそ》いの火種《ひだね》になってきました。信《しん》じる神《かみ》や解釈《かいしゃく》が違《ちが》う——そんな理由《りゆう》で、いくつもの戦争《せんそう》が起《お》こり、多《おお》くの命《いのち》が失《うしな》われてきました。そうした歴史《れきし》を、私《わたし》たちは知《し》っておく必要《ひつよう》があります。

考《かんが》えてみよう

- 世界《せかい》のさまざまな宗教《しゅうきょう》について調《しら》べてみよう！
- イスラム教《きょう》とキリスト教《きょう》の「正義《せいぎ》」は同《おな》じだろうか？

★信仰《しんこう》を大切《たいせつ》にする人《ひと》にとって宗教《しゅうきょう》は大事《だいじ》

世界《せかい》には仏教《ぶっきょう》やキリスト教《きょう》など多《おお》くの宗教《しゅうきょう》があり、それぞれが自分《じぶん》たちの信仰《しんこう》のよりどころや習慣《しゅうかん》を大切《たいせつ》にしています。宗教《しゅうきょう》が異《こと》なる人《ひと》同士《どうし》では、その違《ちが》いによって対立《たいりつ》が生《う》まれ、戦争《せんそう》にまで発展《はってん》してしまうこともありました。

同《おな》じ宗教《しゅうきょう》でも考《かんが》え方《かた》の違《ちが》いでグループが分《わ》かれ、対立《たいりつ》することもあります。たとえば、イスラム教《きょう》では、スンニ派《は》とシーア派《は》という2つの大《おお》きなグループがあり、スンニ派《は》がムハンマドの言行《げんこう》や習慣《しゅうかん》を重《じゅう》視《し》するのに対《たい》し、シーア派《は》はムハンマドの血統《けっとう》を重視《じゅうし》します。キリスト教《きょう》でも、ローマ教皇《きょうこう》を特別《とくべつ》な存在《そんざい》とするカトリックに対《たい》し、プロテスタントは聖書《せいしょ》のみを重視《じゅうし》します。

中東《ちゅうとう》では、ユダヤ教《きょう》とイスラム教《きょう》、イスラム教《きょう》のスンニ派《は》とシーア派《は》の対立《たいりつ》が続《つづ》いています。また、インドやパキスタンなどではヒンドゥー教《きょう》とイスラム教《きょう》の間《あいだ》で緊張《きんちょう》や衝突《しょうとつ》が起《お》きてきました。こうした宗教上《しゅうきょうじょう》の対立《たいりつ》は、領土《りょうど》、経済《けいざい》、政治《せいじ》ともからみ合《あ》い、解決《かいけつ》が難《むずか》しい問《もん》題《だい》になっています。

知《し》っておくべきコトバ

世界《せかい》の4大宗教《だいしゅうきょう》

世界《せかい》にはさまざまな宗教《しゅうきょう》がありますが、キリスト教《きょう》（信者数約《しんじゃすうやく》24.5億人《おくにん》）、イスラム教《きょう》（同約《どうやく》17.5億人《おくにん》）、ヒンドゥー教《きょう》（同約《どうやく》10.25億人《おくにん》）、仏教《ぶっきょう》（同約《どうやく》5.2億人《おくにん》）が「4大宗教《だいしゅうきょう》」とされています。これにユダヤ教《きょう》（同《どう》1400万人《まんにん》）を加《くわ》えて、「5大宗教《だいしゅうきょう》」とすることもあります。このうちキリスト教《きょう》とイスラム教《きょう》、ユダヤ教《きょう》は、ひとつの神《かみ》を信《しん》じる「一神教《いっしんきょう》」です。ヒンドゥー教《きょう》のように多数《たすう》の神々《かみがみ》を信仰《しんこう》する「多神教《たしんきょう》」もあります。なお、仏教《ぶっきょう》は神《かみ》の存在《そんざい》を前提《ぜんてい》としないため、一神教《いっしんきょう》でも多神教《たしんきょう》でもありません。

5

なぜ「民族《みんぞく》」をめぐる対立《たいりつ》が起《お》こるのだろう？

過去《かこ》に起《お》こったおもな民族《みんぞく》をめぐる争《あらそ》い

時期《じき》	争《あらそ》いの名称《めいしょう》	概要《がいよう》
1963年《ねん》～現在《げんざい》	キプロス紛争《ふんそう》	地中海《ちちゅうかい》に浮《う》かぶ島国《しまぐに》キプロスに住《す》む多数派《たすうは》のギリシア系住民《けいじゅうみん》と少数派《しょうすうは》のトルコ系住民《けいじゅうみん》との間《あいだ》で起《お》こった紛争《ふんそう》。
1984年《ねん》～現在《げんざい》	トルコ・クルド紛争《ふんそう》	トルコ政府《せいふ》と、おもにトルコに住《す》む「国《くに》を持《も》たない最大《さいだい》の民族《みんぞく》」と呼《よ》ばれるクルド人《じん》との争《あらそ》い。
1990年《ねん》～1994年《ねん》	ルワンダ内戦《ないせん》	アフリカ中央部《ちゅうおうぶ》にあるルワンダにおいて、ツチ族《ぞく》とフツ族《ぞく》との民族《みんぞく》対立《たいりつ》が悪化《あっか》して起《お》こった内戦《ないせん》。フツ族《ぞく》によるツチ族《ぞく》に対《たい》する大量《たいりょう》虐殺《ぎゃくさつ》が発生《はっせい》した。
1992年《ねん》～1995年《ねん》	ボスニア内戦《ないせん》	ボスニア=ヘルツェゴヴィナに住《す》むセルビア人《じん》・クロアチア人《じん》・ムスリム人《じん》の 3 民族《みんぞく》による独立《どくりつ》をめぐった対立《たいりつ》から起《お》こった紛争《ふんそう》。
1996年《ねん》～1999年《ねん》	コソボ紛争《ふんそう》	旧《きゅう》ユーゴスラビアのセルビア共和国《きょうわこく》コソボ自治州《じちしゅう》で起《お》こったアルバニア系住民《けいじゅうみん》とセルビア系住民《けいじゅうみん》の内戦《ないせん》・紛争《ふんそう》。

上《うえ》の表《ひょう》はほんの数例《すうれい》に過《す》ぎません。第一次大戦後《だいいちじたいせんご》のパリ講和会議《こうわかいぎ》で、日本《にっぽん》は「人種差別撤廃《じんしゅさべつてっぱい》」を国際連盟規約《こくさいれんめいきやく》に明記《めいき》するよう求《もと》めましたが、採択《さいたく》されませんでした。当時《とうじ》、アメリカで高《たか》まった日本人移民排斥運動《にっぽんじんいみんはいせきうんどう》は、日米戦争《にちべいせんそう》の原因《げんいん》のひとつともなりました。

考《かんが》えてみよう

- 周囲《しゅうい》に異《こと》なる民族《みんぞく》の友《とも》だちや知《し》り合《あ》いはいない？
- 異《こと》なる民族《みんぞく》に対《たい》して偏見《へんけん》や差別《さべつ》はない？

★民族《みんぞく》や人種《じんしゅ》をめぐる差別《さべつ》はなくならない

「民族《みんぞく》」とは、言語《げんご》、人種《じんしゅ》、文化《ぶんか》、歴史《れきし》を共有《きょうゆう》し、仲間意識《なかまいしき》（同族意識《どうぞくいしき》）によって結《むす》ばれた人々《ひとびと》の集団《しゅうだん》のことです。世界《せかい》の多《おお》くの国家《こっか》は多《た》民族国家《みんぞくこっか》です。たとえば、中国《ちゅうごく》は人口《じんこう》の約《やく》92%を占《し》める漢民族《かんみんぞく》と55の少数民族《しょうすうみんぞく》からなります。少数民族《しょうすうみんぞく》であるウイグル族《ぞく》やチベット族《ぞく》などは、話《はな》す言葉《ことば》や文化《ぶんか》、信《しん》じている宗教《しゅうきょう》などが漢民族《かんみんぞく》とは違《ちが》います。

このように「国籍《こくせき》」と「民族《みんぞく》」は同《おな》じではありません。同《おな》じ国籍《こくせき》でも民族《みんぞく》が違《ちが》えば、考《かんが》え方《かた》や暮《く》らし方《かた》も違《ちが》うため、偏見《へんけん》や差別《さべつ》が生《う》まれることもあります。そして残念《ざんねん》なことに、人口《じんこう》の多《おお》い民族《みんぞく》が少《すく》ない民族《みんぞく》を抑圧《よくあつ》するようなこともあります。実際《じっさい》に左《ひだり》ページのように、同《おな》じ国《くに》のなかで民族《みんぞく》の対立《たいりつ》を原因《げんいん》とする争《あらそ》いはこれまでにたくさん起《お》きています。みなさんの周《まわ》りでは言語《げんご》や宗教《しゅうきょう》、文化《ぶんか》の違《ちが》いが原因《げんいん》でいじめが起《お》きていないでしょうか。そうしたことが地域《ちいき》や国《くに》レベルで起《お》こると民族間《みんぞくかん》の対立《たいりつ》となり、場合《ばあい》によっては戦争《せんそう》に発展《はってん》するのです。

1995年《ねん》、日本《にっぽん》は人種差別撤廃条約《じんしゅさべつてっぱいじょうやく》（人種《じんしゅ》、皮膚《ひふ》の色《いろ》、民族的出身《みんぞくてきしゅっしん》などに基《もと》づく差別《さべつ》を禁止《きんし》する条約《じょうやく》）に加盟《かめい》しています。

知《し》っておくべきコトバ

民族《みんぞく》と人種《じんしゅ》の違《ちが》い

「民族《みんぞく》」は、同《おな》じ言葉《ことば》を話《はな》したり、同《おな》じ宗教《しゅうきょう》や文化《ぶんか》を持《も》つ人《ひと》の集《あつ》まりです。あとから文化《ぶんか》や言《こと》葉《ば》を学《まな》んで、その民族《みんぞく》の一員《いちいん》になる人《ひと》もいます。「人種《じんしゅ》」は、肌《はだ》の色《いろ》や骨格《こっかく》など、身体的特徴《しんたいてきとくちょう》で分《わ》けられる人《ひと》の集《あつ》まりです。人種《じんしゅ》は生《う》まれたときから決《き》まっているものです。

6

なぜ「資源《しげん》」をめぐる対立《たいりつ》が起《お》こるのだろう？

過去《かこ》に起《お》こったおもな「資源《しげん》」をめぐる争《あらそ》い

時期《じき》	争《あらそ》いの名称《めいしょう》	概要《がいよう》
1983年《ねん》～2005年《ねん》	第二次《だいにじ》スーダン内戦《ないせん》	1983年《ねん》にスーダン北部《ほくぶ》のアラブ系住民《けいじゅうみん》が中心《ちゅうしん》の中央政府《ちゅうおうせいふ》が南部《なんぶ》の石油《せきゆ》の開発利権《かいはつりけん》を確保《かくほ》しようとしたことに反発《はんぱつ》して、南部《なんぶ》の非《ひ》アラブ系住民主体《けいじゅうみんしゅたい》のスーダン人民解放軍《じんみんかいほうぐん》が武装蜂起《ぶそうほうき》して内戦《ないせん》がぼっ発《ぱつ》。長《なが》く戦闘状態《せんとうじょうたい》が続《つづ》いたことで約《やく》250万人《まんにん》が犠牲《ぎせい》になった。
1991年《ねん》～2002年《ねん》	シエラレオネ内戦《ないせん》	ダイヤモンドの鉱山《こうざん》の支配権《しはいけん》をめぐる争《あらそ》いがきっかけとなり、政府《せいふ》軍《ぐん》と反政府《はんせいふ》勢力《せいりょく》の戦闘《せんとう》やクーデターなどにより10年以上《ねんいじょう》続《つづ》いた。
1996年《ねん》～2003年《ねん》	第一次《だいいちじ》・二次《にじ》コンゴ紛争《ふんそう》	コンゴ民主共和国《みんしゅきょうわこく》において、ツチ族《ぞく》とフツ族《ぞく》の民族対立《みんぞくたいりつ》や金《きん》、銅《どう》、ダイヤモンド、コバルトなどの資源獲得競争《しげんかくとくきょうそう》など、複雑《ふくざつ》な要《よう》因《いん》がからみ合《あ》い、周辺国《しゅうへんこく》を巻《ま》き込《こ》んで発生《はっせい》した戦争《せんそう》。
2003年《ねん》	イラク戦争《せんそう》	アメリカを中心《ちゅうしん》とした有志連合《ゆうしれんごう》が大量破壊兵器《たいりょうはかいへいき》を保持《ほじ》しているとされたイラクを攻《せ》めた戦争《せんそう》。背景《はいけい》には反米《はんべい》のフセイン政権《せいけん》を打倒《だとう》することで、産油国《さんゆこく》イラクの石油利権《せきゆりけん》を得《え》る目的《もくてき》もあったとされる。

資源《しげん》をめぐる紛争《ふんそう》も民族問題《みんぞくもんだい》など、ほかの要因《よういん》が複雑《ふくざつ》にからみ合《あ》っていることがほとんどです。権力者同士《けんりょくしゃどうし》の利権争《りけんあらそ》いも多《おお》く、それによって多《おお》くの市民《しみん》が巻《ま》き添《ぞ》えになっています。

？ 考《かんが》えてみよう

- 紛争《ふんそう》の原因《げんいん》である資源《しげん》は何《なに》に使《つか》われているのか？ 私《わたし》たちの生活《せいかつ》にどう関係《かんけい》しているのだろうか？

★資源《しげん》が紛争《ふんそう》の火種《ひだね》になっている!

国《くに》の発展《はってん》や人々《ひとびと》の生活《せいかつ》には、さまざまな資源《しげん》が必要《ひつよう》です。風力《ふうりょく》や太《たい》陽光《ようこう》など再生可能《さいせいかのう》エネルギーも増加《ぞうか》していますが、依然《いぜん》として石油《せきゆ》や天然《てんねん》ガスは電力《でんりょく》を安定的《あんていてき》に供給《きょうきゅう》するうえで必要《ひつよう》です。また、食料《しょくりょう》や水《みず》がなければ人々《ひとびと》は生《い》きられません。こうした資源《しげん》の確保《かくほ》や利用《りよう》をめぐってしばしば争《あらそ》いが起《お》きてきました。

たとえば、石油《せきゆ》はサウジアラビアには大量《たいりょう》にありますが、日本《にっぽん》では必要量《ひつようりょう》のたった１日分《にちぶん》しか採《と》れません。ダイヤモンドは、ロシアやカナダ、アフリカの一部《いちぶ》の国《くに》でしか産出《さんしゅつ》されません。このように一部《いちぶ》の地域《ちいき》に偏在《へんざい》する資源《しげん》をめぐる紛争《ふんそう》は、昔《むかし》から繰《く》り返《かえ》されています。

最近《さいきん》では、日本《にっぽん》では当《あ》たり前《まえ》にある水《みず》をめぐっても河川《かせん》の上流《じょうりゅう》と下《か》流《りゅう》になる国《くに》の間《あいだ》で争《あらそ》い（水紛争《みずふんそう》）が起《お》きてきました。たとえば、インドとパキスタンはインダス川《がわ》の水《みず》の利用《りよう》をめぐって対立《たいりつ》しています。パキスタンにとってこの川《かわ》の水《みず》は、農業《のうぎょう》や暮《く》らしにとても大切《たいせつ》です。しかし、上流《じょうりゅう》にあるインドが川《かわ》の水《みず》の流《なが》れを変《か》えたり、発電《はつでん》のためにダムをつくったりして、もめごとになっているのです。アフリカのナイル川《がわ》でも、水《みず》の配分《はいぶん》やダムの建設《けんせつ》をめぐってエジプト、スーダン、エチオピアの３つの国《くに》が対立《たいりつ》しています。こうした水《みず》をめぐる争《あらそ》いは気候変動《きこうへんどう》の影響《えいきょう》もあり、これからもっと激《はげ》しくなるかもしれません。

第二次世界大戦《だいにじせかいたいせん》で日本《にっぽん》がアメリカとの戦争《せんそう》に踏《ふ》み切《き》った理由《りゆう》のひとつも、アメリカが日本《にっぽん》への石油輸出《せきゆゆしゅつ》を止《と》めたことでした。

今日《こんにち》の日本《にっぽん》も多《おお》くの資源《しげん》を外国《がいこく》に頼《たよ》っています。資源《しげん》をめぐる紛争《ふんそう》はもちろん、そうではない紛争《ふんそう》でも資源《しげん》の価格《かかく》や輸送《ゆそう》に影響《えいきょう》を与《あた》えることがあります。資源《しげん》の輸入先《ゆにゅうさき》を多角化《たかくか》したり、資源国《しげんこく》との友好関係《ゆうこうかんけい》を増進《ぞうしん》したりして安定的確保《あんていてきかくほ》に努《つと》める必要《ひつよう》があるのです。

7

なぜ「領土《りょうど》」をめぐる対立《たいりつ》が起《お》こるのだろう？

過去《かこ》に起《お》こったおもな「領土《りょうど》」をめぐる争《あらそ》い

時期《じき》	争《あらそ》いの名称《めいしょう》	概要《がいよう》
1689年《ねん》～1815年《ねん》	第二次《だいにじ》百年戦争《ひゃくねんせんそう》	イギリスとフランスはともに欧州《おうしゅう》の大国《たいこく》として海外植民地《かいがいしょくみんち》の争奪《そうだつ》をともないながら覇権《はけん》を争《あらそ》った。最終的《さいしゅうてき》にはイギリスが勝利《しょうり》した。
1947年《ねん》～	カシミール紛争《ふんそう》	1947 年《ねん》のインド・パキスタン分離独立以来《ぶんりどくりついらい》、両国《りょうこく》はカシミール地方《ちほう》の領有権《りょうゆうけん》をめぐって 3 度戦争《どせんそう》した。また、中国《ちゅうごく》とインドの間《あいだ》でも領土《りょうど》をめぐって対立《たいりつ》し、衝突《しょうとつ》が起《お》きてきた。
1982年《ねん》	フォークランド紛争《ふんそう》	1982 年《ねん》に南大西洋《みなみたいせいよう》に位置《いち》する英領《えいりょう》フォークランド諸島《しょとう》の領有権《りょうゆうけん》をめぐってイギリスとアルゼンチンの間《あいだ》で起《お》こった戦争《せんそう》。
1949年《ねん》～	南《みなみ》シナ海《かい》の紛争《ふんそう》	中国《ちゅうごく》、台湾《たいわん》、ベトナム、フィリピン、マレーシア、ブルネイが同海域《どうかいいき》の島《しま》や礁《しょう》の領有権《りょうゆうけん》を主張《しゅちょう》し、軍事衝突《ぐんじしょうとつ》も起《お》きてきた。

現在《げんざい》、日本《にっぽん》はロシアとの北方領土問題《ほっぽうりょうどもんだい》や韓国《かんこく》との竹島問題《たけしまもんだい》といった領有権問題《りょうゆうけんもんだい》を抱《かか》えているほか、中国《ちゅうごく》は日本《にっぽん》が有効《ゆうこう》に支配《しはい》する尖閣諸島《せんかくしょとう》に対《たい》する独自《どくじ》の領有権《りょうゆうけん》を主張《しゅちょう》しています。領土問題《りょうどもんだい》は資源《しげん》や安全保障《あんぜんほしょう》、さらには国民感情《こくみんかんじょう》も関《かか》わってくるため、その解決《かいけつ》は難《むずか》しく、最終的《さいしゅうてき》に武力《ぶりょく》に訴《うった》えるケースも少《すく》なくありませんでした。

考《かんが》えてみよう

- アメリカ、中国《ちゅうごく》、ロシアはどんな国《くに》と接《せっ》している？
- 表《ひょう》の争点《そうてん》となった領土《りょうど》がどこにあるか調《しら》べよう！

★領土《りょうど》をめぐる紛争《ふんそう》は日本《にっぽん》も無関係《むかんけい》ではない

地図《ちず》で国境《こっきょう》は線《せん》で示《しめ》されますが、よく見《み》ると「点線《てんせん》」で囲《かこ》まれた場《ば》所《しょ》が世界中《せかいじゅう》のところどころにあることに気《き》づきます。点線《てんせん》は「どの国《くに》のものかはっきり決《き》まっていない場所《ばしょ》」を表《あらわ》しています。そうした未《み》確定国境地帯《かくていこっきょうちたい》では、周辺国間《しゅうへんこくかん》で領土《りょうど》をめぐる対立《たいりつ》や衝突《しょうとつ》が起《お》きています。18ページで紹介《しょうかい》した「カシミール地方《ちほう》」はその一例《いちれい》です。

その原因《げんいん》のひとつが、石油《せきゆ》や鉱物《こうぶつ》、水《みず》、水産物《すいさんぶつ》などの資源《しげん》の存在《そんざい》です。それを互《たが》いに「自分《じぶん》の国《くに》のものだ」と主張《しゅちょう》し、争《あらそ》いに発展《はってん》するのです。もうひとつの大《おお》きな原因《げんいん》は、「愛国心《あいこくしん》」です。自分《じぶん》たちの国土《こくど》を守《まも》るという気持《きも》ちが互《たが》いに譲《ゆず》り合《あ》うことを難《むずか》しくしています。

第《だい》4章《しょう》でさらにくわしく説明《せつめい》しますが、日本《にっぽん》の周辺《しゅうへん》にもこうした領土《りょうど》をめぐる問題《もんだい》があります。北方領土《ほっぽうりょうど》は、ソ連《れん》／ロシアに長《なが》い間《あいだ》不《ふ》法占拠《ほうせんきょ》されており、日本政府《にっぽんせいふ》はその返還《へんかん》を求《もと》めて交渉《こうしょう》もしてきましたが、近年《きんねん》ロシアは交渉《こうしょう》を拒否《きょひ》しています。竹島《たけしま》も日本《にっぽん》の領土《りょうど》ですが、今《いま》は韓国《かんこく》が不法占拠《ふほうせんきょ》しています。尖閣諸島《せんかくしょとう》は日本《にっぽん》が有効《ゆうこう》に支配《しはい》しており、領有権問題《りょうゆうけんもんだい》は存在《そんざい》しないというのが日本政府《にっぽんせいふ》の立場《たちば》です。

19世紀半《せいきなか》ばから20世紀初《せいきはじ》めごろまでは、強《つよ》い国《くに》が弱《よわ》い国《くに》の領土《りょうど》を奪《うば》い、自国《じこく》のものにする「帝国主義《ていこくしゅぎ》」の時代《じだい》でした。でも今《いま》は違《ちが》います。国連憲章《こくれんけんしょう》では、「武力《ぶりょく》で他国《たこく》の領土《りょうど》を侵《おか》してはならない」と明《めい》記《き》しています。国際司法裁判所《こくさいしほうさいばんしょ》も、力《ちから》で無理《むり》やり他国《たこく》の領土《りょうど》を奪《うば》うことは国際法違反《こくさいほういはん》との判決《はんけつ》を出《だ》しています。

それなのにロシアは2014年《ねん》にウクライナのクリミア半島《はんとう》を併合《へいごう》し、2022年《ねん》には一方的《いっぽうてき》に侵攻《しんこう》して、ウクライナの東部《とうぶ》や南部《なんぶ》を占領《せんりょう》しています。こうした行動《こうどう》は国際法上《こくさいほうじょう》許《ゆる》されないことですが、残念《ざんねん》ながらこれが世界《せかい》の現実《げんじつ》です。

8

世界《せかい》は「イデオロギー」でも対立《たいりつ》している

世界《せかい》の自由度《じゆうど》マップ（2025年《ねん》）

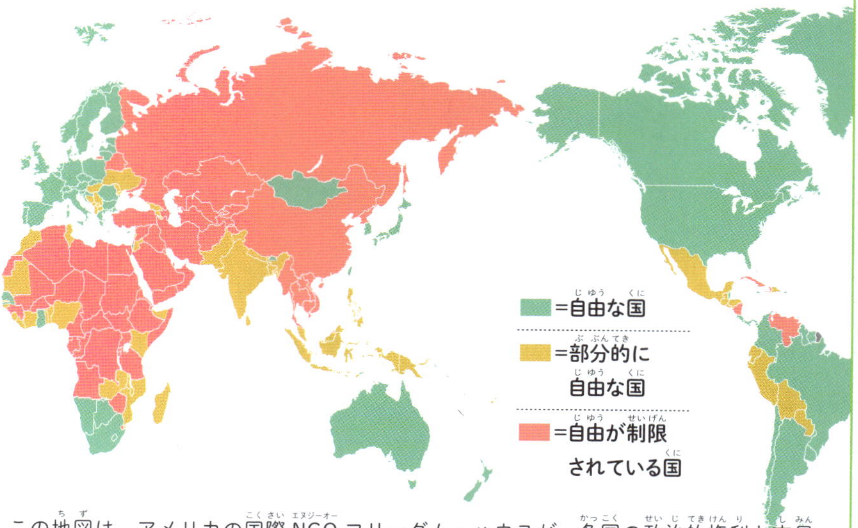

この地図《ちず》は、アメリカの国際《こくさい》NGO《エヌジーオー》フリーダム・ハウスが、各国《かっこく》の政治的権利《せいじてきけんり》と市民的自由《しみんてきじゆう》の状況《じょうきょう》を評価《ひょうか》したものです。日本《にっぽん》やアメリカ、西《にし》ヨーロッパ諸国《しょこく》は「自由《じゆう》な国《くに》」ですが、世界《せかい》を見渡《みわた》すと自由《じゆう》が制限《せいげん》されている権威主義国家《けんいしゅぎこっか》が多《おお》くなっています。

出所：Freedom House「Freedom in the World 2025」

考《かんが》えてみよう

- なぜ自由《じゆう》の国《くに》とそうでない国《くに》があるのだろう？
- 自由《じゆう》のない国《くに》に生《う》まれていたらどうだっただろう？

★「自由《じゆう》な国《くに》」対《たい》「力《ちから》で支配《しはい》しようとする国《くに》」

イデオロギーとは、「社会《しゃかい》はこうあるべきだ」、「人《ひと》はこう行動《こうどう》すべきだ」といった考《かんが》え方《かた》や信《しん》じていることをさす言葉《ことば》です。

第二次世界大戦《だいにじせかいたいせん》のあと、アメリカを中心《ちゅうしん》とした「自由民主主義《じゆうみんしゅしゅぎ》」の国々《くにぐに》と、ソ連《れん》（現在《げんざい》のロシア）を中心《ちゅうしん》とする「社会主義《しゃかいしゅぎ》」の国々《くにぐに》が、異《こと》なるイデオロギーのもとで対立《たいりつ》する「冷戦《れいせん》」が続《つづ》きました。

その後《ご》、1989年《ねん》に米《べい》ソの指導者《しどうしゃ》が会談《かいだん》して冷戦終結《れいせんしゅうけつ》を宣言《せんげん》。1991年《ねん》にソ連《れん》が崩壊《ほうかい》すると、世界《せかい》に民主主義《みんしゅしゅぎ》が広《ひろ》がりました。しかし、それまでイデオロギー対立《たいりつ》のもとで抑《おさ》えられていた民族《みんぞく》や宗教《しゅうきょう》の争《あらそ》いが表面化《ひょうめんか》し、国家《こっか》と国家《こっか》の戦争《せんそう》に代《か》わって国内《こくない》の紛争《ふんそう》が多発《たはつ》しました。2001年《ねん》にはイスラム教《きょう》の一部《いちぶ》の過激《かげき》なグループが超大国《ちょうたいこく》アメリカをテロ攻撃《こうげき》するという大事件《だいじけん》が起《お》きました（「同時多発《どうじたはつ》テロ（46ページ）」）。テロの背後《はいご》には、暴力《ぼうりょく》を容認《ようにん》する過激《かげき》な宗教《しゅうきょう》イデオロギーがありました。

また、めざましく経済発展《けいざいはってん》した中国《ちゅうごく》は、中国共産党《ちゅうごくきょうさんとう》というひとつの政党《せいとう》によって統治《とうち》されています。アメリカや日本《にっぽん》のように、自由《じゆう》に意見《いけん》を言《い》えて、選挙《せんきょ》でリーダーを選《えら》べる国《くに》とは、政治《せいじ》のイデオロギーやしくみが異《こと》なる「権威主義《けんいしゅぎ》」国家《こっか》です。

日本《にっぽん》では自由《じゆう》に発言《はつげん》し、選挙《せんきょ》で政治家《せいじか》を選《えら》ぶのは当《あ》たり前《まえ》です。しかし左《ひだり》ページの地図《ちず》を見《み》るとわかるように、世界《せかい》を見渡《みわた》すと、自由《じゆう》が制限《せいげん》されている権威主義国家《けんいしゅぎこっか》のほうが多《おお》くなっています。

政治《せいじ》イデオロギーをめぐる対立《たいりつ》が激化《げきか》すれば、相手《あいて》の体制《たいせい》を倒《たお》すことを目的《もくてき》とする戦争《せんそう》に発展《はってん》しかねません。自由《じゆう》や人権《じんけん》が尊重《そんちょう》される世界《せかい》をめざしつつ、イデオロギーの異《こと》なる国家《こっか》との関係《かんけい》はどうあるべきか考《かんが》える必要《ひつよう》があります。もちろん、戦争《せんそう》が答《こた》えではないはずです。

9

自分《じぶん》の国《くに》を大切《たいせつ》に思《おも》う「ナショナリズム」は危《あぶ》ない!?

自分《じぶん》のナショナリズムをチェックしてみよう!

❶ 自分《じぶん》の国《くに》が好《す》き?／ □はい　□まあまあ　□嫌《きら》い

→「好《す》き」と思《おも》えるのはいいこと。でも、ほかの国《くに》の良《よ》い点《てん》も探《さが》してみて!

❷ ほかの国《くに》の人《ひと》とも仲良《なかよ》くできる?／ □はい　□ふつう　□いいえ

→もし「いいえ」だったら、危《あぶ》ないナショナリズムかも!

❸ ほかの国《くに》の考《かんが》え方《かた》は間違《まちが》い?／ □よく思《おも》う　□ときどき　□思《おも》わない

→「よく思《おも》う」人《ひと》は注意《ちゅうい》! なぜそう思《おも》うのか、周《まわ》りの大人《おとな》の意見《いけん》を聞《き》いてみよう!

❹ ほかの国《くに》の文化《ぶんか》を学《まな》びたい?／ □はい　□あまり　□まったく

→「はい」は広《ひろ》い視野《しや》のしるし。違《ちが》いを知《し》ることは大事《だいじ》!

❺ 自分《じぶん》の国《くに》が一番《いちばん》すばらしい?／ □強《つよ》く思《おも》う　□少《すこ》し思《おも》う　□それぞれいいとこがある

→「強《つよ》く思《おも》う」あまり、他国《たこく》を見下《みくだ》す気持《きも》ちになってない?

ナショナリズムは悪《わる》いことではない!
でも「他国《たこく》を下《した》に見《み》る気持《きも》ち」があるなら要注意《ようちゅうい》!

考《かんが》えてみよう

- あなたは日本人《にっぽんじん》であってよかったと思《おも》う?
- 中国《ちゅうごく》や韓国《かんこく》にどんな印象《いんしょう》を持《も》っている? それはなぜ?

★2つの顔《かお》があるナショナリズム

ナショナリズムとは、「自分《じぶん》たちの民族《みんぞく》や国《くに》を大切《たいせつ》にしたい」という気持《きも》ちのことで、国家主義《こっかしゅぎ》や民族主義《みんぞくしゅぎ》とも呼《よ》ばれます。ナショナリズムには2つのタイプがあります。

ひとつめは、同《おな》じ民族《みんぞく》がひとつにまとまって、自分《じぶん》たちの国《くに》をつくったり、ほかの国《くに》の支配《しはい》から脱《だっ》して独立《どくりつ》したりしようとする動《うご》きです。

19世紀《せいき》から20世紀《せいき》にかけて、このような考《かんが》えに基《もと》づいて、自分《じぶん》の属《ぞく》する民族《みんぞく》による国家《こっか》の統一《とういつ》や独立《どくりつ》をめざす運動《うんどう》や戦争《せんそう》がたくさん起《お》きました。たとえば、小国《しょうこく》に分《わ》かれていたイタリアの統一戦争《とういつせんそう》、ガンジー（100ページ）らによるイギリスからのインド独立《どくりつ》を求《もと》めた運動《うんどう》などです。

ふたつめは、「一民族一国家《いちみんぞくいちこっか》」という民族《みんぞく》ナショナリズムを超《こ》えて、国家《こっか》の力《ちから》や影響力《えいきょうりょく》を拡大《かくだい》しようとする国家《こっか》ナショナリズムです。これが軍拡《ぐんかく》の大義《たいぎ》や戦争《せんそう》の一因《いちいん》となった例《れい》は少《すく》なくありません。戦前《せんぜん》、日《にっ》本《ぽん》の軍部《ぐんぶ》やメディアによって宣伝《せんでん》され、扇動《せんどう》され、国民《こくみん》を戦争《せんそう》に駆《か》り立《た》てたのもこうしたナショナリズムです。

20世紀《せいき》には、軍国主義《ぐんこくしゅぎ》（ファシズム）や共産主義《きょうさんしゅぎ》（コミュニズム）といった、個人《こじん》の自由《じゆう》を抑圧《よくあつ》する強権的《きょうけんてき》な思想《しそう》は敗北《はいぼく》しましたが、ナショナリズムは強《つよ》い生命力《せいめいりょく》を維持《いじ》して、政治《せいじ》や外交《がいこう》に影響《えいきょう》を与《あた》え続《つづ》けています。真《しん》の愛国心《あいこくしん》とはどうあるべきかを考《かんが》える必要《ひつよう》があるのです。

ナショナリズムは、過剰《かじょう》になれば人々《ひとびと》を戦争《せんそう》に向《む》かわせる力《ちから》を持《も》っています。私《わたし》たちはそのことを十分《じゅうぶん》に認識《にんしき》しなければなりません。国《こっ》家《か》や民族《みんぞく》を大事《だいじ》に思《おも》うと同時《どうじ》に、世界《せかい》と交《まじ》わり、相互理解《そうごりかい》を深《ふか》め、他《た》国《こく》やほかの民族《みんぞく》の長所《ちょうしょ》を学《まな》び、自《みずか》らの国家《こっか》や民族《みんぞく》の足《た》りない部分《ぶぶん》を補《おぎな》おうとする謙虚《けんきょ》さを持《も》つことが大事《だいじ》です。

10

止《と》めることが難《むずか》しい「テロリズム」とは?

2001年《ねん》9月《がつ》11日《にち》、アメリカ・ニューヨークで起《お》きた同時多発《どうじたはつ》テロにおいて、ハイジャックされた旅客機《りょかくき》がワールドトレードセンタービルの北棟《きたとう》に続《つづ》き、南棟《みなみとう》にも衝突《しょうとつ》した瞬間《しゅんかん》。400人以上《にんいじょう》の消防士《しょうぼうし》と警察官《けいさつかん》を含《ふく》む約《やく》3000人《にん》が亡《な》くなりました。

考《かんが》えてみよう

- テロリストはなぜアメリカを狙《ねら》ったのだろう?
- テロを防《ふせ》ぐにはどうしたらいいだろう?

★世界《せかい》を不安《ふあん》にさせるテロの脅威《きょうい》

テロとは、テロリズムの略《りゃく》であり、国《くに》の軍隊《ぐんたい》ではない小規模《しょうきぼ》な集団《しゅうだん》が政治目的《せいじもくてき》を達成《たっせい》するために市民社会《しみんしゃかい》を攻撃《こうげき》することです。通常《つうじょう》の戦争《せんそう》と異《こと》なり、戦場《せんじょう》と市民空間《しみんくうかん》の区別《くべつ》がなく、市民《しみん》とテロリストの区別《くべつ》も困難《こんなん》です。そのことが社会《しゃかい》に不安《ふあん》や恐《おそ》れを広《ひろ》げ、実際《じっさい》の物理的被害《ぶつりてきひがい》以上《いじょう》の心理的効果《しんりてきこうか》を生《う》み出《だ》すことを狙《ねら》いとしています。

2001年《ねん》9月《がつ》11日《にち》に起《お》きた「同時多発《どうじたはつ》テロ」では、イスラム過激派《かげきは》組織《そしき》アル・カイダのメンバーがニューヨークのシンボルであるワールドトレードセンタービルにハイジャックした旅客機《りょかくき》を突《つ》っ込《こ》ませる（左《ひだり》ページ）などして世界《せかい》に衝撃《しょうげき》を与《あた》えました。これを受《う》けてアメリカは「対《たい》テロ戦争《せんそう》」を宣言《せんげん》。アル・カイダをかくまうタリバン政権《せいけん》に支配《しはい》されていたアフガニスタンを攻撃《こうげき》しました。2023年《ねん》にはイスラム組織《そしき》ハマスの戦闘員《せんとういん》がイスラエルに侵入《しんにゅう》し、多《おお》くの民間人《みんかんじん》を含《ふく》む1200名《めい》を殺《さつ》りくし、250人《にん》を拉致《らち》しました（14ページ）。イスラエルはハマスの拠点《きょてん》があるパレスチナ・ガザ地区《ちく》を激《はげ》しく空爆《くうばく》し、女性《じょせい》やこどもを含《ふく》む多《おお》くの民間人《みんかんじん》が犠牲《ぎせい》になりました。

日本《にっぽん》もテロと無縁《むえん》ではありません。1995年《ねん》にオウム真理教《しんりきょう》による「地下鉄《ちかてつ》サリン事件《じけん》」が起《お》き、東京《とうきょう》の地下鉄《ちかてつ》で猛毒《もうどく》の化学兵器《かがくへいき》サリンがまかれて数千人《すうせんにん》が病院《びょういん》に運《はこ》ばれ、14人《にん》が亡《な》くなりました。

テロは、人類共通《じんるいきょうつう》の脅威《きょうい》であり、世界《せかい》が協力《きょうりょく》して撲滅《ぼくめつ》する必要《ひつよう》があります。しかし、アフガニスタンのように、国家《こっか》の機能《きのう》が破綻《はたん》している「失敗国家《しっぱいこっか》」や、イランのようにテロ組織《そしき》を支援《しえん》する国《くに》が存在《そんざい》するかぎり、テロをなくすのは容易《ようい》ではありません。国際社会《こくさいしゃかい》が協力《きょうりょく》してテロを取《と》り締《し》まり、世界《せかい》から貧困《ひんこん》や格差《かくさ》をなくし、だれもが教育《きょういく》や医療《いりょう》を受《う》けられるよう支援《しえん》することが重要《じゅうよう》です。

COLUMN：知《し》っておきたいノーベル平和賞受賞者《へいわしょうじゅしょうしゃ》❷

バラク・オバマ

バラク・オバマは、第《だい》44代《だい》アメリカ大統領《だいとうりょう》（任期《にんき》：2009－2017年《ねん》）で、2009年《ねん》にノーベル平和賞《へいわしょう》を受賞《じゅしょう》しました。その最大《さいだい》の受賞理由《じゅしょうりゆう》として、ノーベル賞委員会《しょういいんかい》は、オバマ大統領《だいとうりょう》の「核《かく》なき世界《せかい》」についての理念《りねん》や取《と》り組《く》みを重視《じゅうし》したことを挙《あ》げています。同委員会《どういいんかい》はこう称賛《しょうさん》しています。

《オバマ氏《し》ほど、よりよい未来《みらい》への希望《きぼう》を人々《ひとびと》に与《あた》え、世界《せかい》の注目《ちゅうもく》を引《ひ》きつけた個人《こじん》はまれだ。……オバマ氏《し》が「今《いま》こそ私《わたし》たち全員《ぜんいん》が、グローバルな課題《かだい》に対《たい》してグローバルな対応《たいおう》をとる責任《せきにん》を分《わ》かち合《あ》うべきときだ」と強調《きょうちょう》していることを支持《しじ》する》

2016年《ねん》、オバマ大統領《だいとうりょう》は現職大統領《げんしょくだいとうりょう》として初《はじ》めて広島《ひろしま》を訪《ほう》問《もん》してこう演説《えんぜつ》しました。

「この街《まち》の中心《ちゅうしん》に立《た》ち、勇気《ゆうき》を奮《ふる》い起《お》こして原爆《げんばく》を投下《とうか》された瞬間《しゅんかん》を想像《そうぞう》してみるのです。……1945年《ねん》8月《がつ》6日《むいか》の朝《あさ》の記憶《きおく》が薄《うす》れることがあってはなりません。この記憶《きおく》のおかげで、私《わたし》たちは現状《げんじょう》を変《か》えなければならないという気持《きも》ちになり、私《わたし》たちの倫理的想像力《りんりてきそうぞうりょく》に火《ひ》がつくのです。そして、私《わたし》たちは変《か》わることができるのです」

バラク・オバマ

第《だい》3章《しょう》

過《か》去《こ》の日《にっ》本《ぽん》が関《かん》係《けい》した戦《せん》争《そう》とその決《けっ》着《ちゃく》を知《し》る

1

これまでに日本《にっぽん》も戦争《せんそう》をしてきた歴史《れきし》がある

昔《むかし》から日本《にっぽん》も戦争《せんそう》をしてきた

起《お》こった年《とし》	戦争名《せんそうめい》	戦《たたか》った相手《あいて》	結果《けっか》
663年《ねん》	白村江《はくすきのえ》の戦《たたか》い	唐《とう》、新羅《しらぎ》	唐《とう》と新羅《しらぎ》に敗北《はいぼく》
1274年《ねん》、1281年《ねん》	元寇《げんこう》	モンゴル（元《げん》）	モンゴルを撃退《げきたい》
1592～1598年《ねん》	文禄《ぶんろく》・慶長《けいちょう》の役《えき》	李氏朝鮮《りしちょうせん》、民《みん》	豊臣秀吉《とよとみひでよし》の死《し》により休戦《きゅうせん》
1863～1864年《ねん》	薩英《さつえい》・下関戦争《しものせきせんそう》	イギリス	イギリスに敗北《はいぼく》
1894～1895年《ねん》	日清戦争《にっしんせんそう》	清《しん》	清《しん》に勝利《しょうり》
1904～1905年《ねん》	日露戦争《にちろせんそう》	ロシア	ロシアに勝利《しょうり》
1914～1918年《ねん》	第一次世界大戦《だいいちじせかいたいせん》	ドイツなどの同盟国《どうめいこく》	同盟国《どうめいこく》に勝利《しょうり》
1939～1945年《ねん》	第二次世界大戦《だいにじせかいたいせん》	アメリカなどの連合国《れんごうこく》	連合国《れんごうこく》に敗北《はいぼく》

日本《にっぽん》も飛鳥時代《あすかじだい》から外国《がいこく》と戦争《せんそう》していたのね。

これ以外《いがい》にも日本人《にっぽんじん》は国内《こくない》でも、応仁《おうにん》の乱《らん》、関ヶ原《せきがはら》の戦《たたか》いなど、たくさんの争《あらそ》いをしてきましたね。

考《かんが》えてみよう

- 日本《にっぽん》が外国《がいこく》と戦争《せんそう》をしたのはなぜだろう?
- 日本《にっぽん》の戦争《せんそう》の歴史《れきし》について何《なに》を学《まな》んできた?

★過去《かこ》の戦争《せんそう》から学《まな》ぶことはたくさんある

学校《がっこう》の授業《じゅぎょう》でも習《なら》うように、日本《にっぽん》も戦争《せんそう》を経験《けいけん》した歴史《れきし》があります。左《ひだり》ページはそのおもなものです。古《ふる》くは663年《ねん》に大和朝廷《やまとちょうてい》が朝鮮半島《ちょうせんはんとう》で唐《とう》・新羅連合軍《しらぎれんごうぐん》と戦《たたか》った「白村江《はくすきのえ》の戦《たたか》い」にまでさかのぼります。20世紀《せいき》には、1941年《ねん》に真珠湾攻撃《しんじゅわんこうげき》によって「第二次世界大戦《だいにじせかいたいせん》」に参戦《さんせん》しましたが、1931年《ねん》の満州事変《まんしゅうじへん》を経《へ》て1937年《ねん》から1945年《ねん》までは日中戦争《にっちゅうせんそう》も戦《たたか》っています。

過去《かこ》の戦争《せんそう》の歴史《れきし》を学《まな》ぶのは、テストでいい点数《てんすう》を取《と》るためだけではありません。二度《にど》と過《あやま》ちを繰《く》り返《かえ》さないために、平和《へいわ》を破壊《はかい》し、多《おお》くの悲劇《ひげき》をもたらした戦争《せんそう》を知《し》ることが重要《じゅうよう》だからです。日本《にっぽん》の戦争《せんそう》がアジアや世界《せかい》、そして日本自身《にっぽんじしん》に与《あた》えた影響《えいきょう》や戦争《せんそう》の悲惨《ひさん》さを理解《りかい》し、平和《へいわ》について考《かんが》えるきっかけにすることが大切《たいせつ》です。そして、「なぜ戦争《せんそう》が起《お》こったのか」「戦争《せんそう》は避《さ》けられなかったのか」「戦争《せんそう》は当時《とうじ》の人々《ひとびと》にどのような影響《えいきょう》を与《あた》えたのか」など、考《かんが》えてみましょう。

戦争《せんそう》で悲惨《ひさん》な思《おも》いをしても、人間《にんげん》はこれまで何度《なんど》も戦争《せんそう》を繰《く》り返《かえ》しています。そんな人間《にんげん》の愚《おろ》かさに気《き》づくことも歴史《れきし》を学《まな》ぶ意義《いぎ》です。

知《し》っておくべきコトバ

白村江《はくすきのえ》の戦《たたか》い

663年《ねん》10月《がつ》に朝鮮半島《ちょうせんはんとう》の白村江《はくすきのえ》で行《おこな》われた、日本《にっぽん》・百済連合軍《くだられんごうぐん》と唐《とう》・新羅連合軍《しらぎれんごうぐん》との戦争《せんそう》。660年《ねん》に百済《くだら》は唐《とう》・新羅軍《しらぎぐん》に滅亡《めつぼう》させられましたが、百済復興運動《くだらふっこううんどう》が起《お》こり、友好関係《ゆうこうかんけい》にあった日本《にっぽん》は助《たす》けを求《もと》められ、それに応《おう》じて日本《にっぽん》は朝鮮半島《ちょうせんはんとう》に軍《ぐん》を進《すす》めました。しかし、日本《にっぽん》は大敗《たいはい》して全軍撤退《ぜんぐんてったい》。その後《ご》、唐《とう》と新羅《しらぎ》の侵攻《しんこう》を恐《おそ》れた日本《にっぽん》は、九州北部《きゅうしゅうほくぶ》の大宰府《だざいふ》に城壁《じょうへき》（水城《みずき》）を造成《ぞうせい》したり、瀬戸内海《せとないかい》沿《ぞ》いの西日本各地《にしにっぽんかくち》に防衛砦《ぼうえいとりで》として朝鮮式古代山城《ちょうせんしきこだいさんじょう》を築《きず》き、九州北部沿岸《きゅうしゅうほくぶえんがん》には防人《さきもり》を配備《はいび》して防衛体制《ぼうえいたいせい》を整《ととの》えました。

2

日《にっ》清《しん》戦《せん》争《そう》の原《げん》因《いん》とその影《えい》響《きょう》は？

フランス人画家《じんがか》ジョルジュ・ビゴーによって描《か》かれた風刺画《ふうしが》。日本《にっぽん》（左《ひだり》）と中国《ちゅうごく》（右《みぎ》）が、それぞれ釣《つ》り糸《いと》を垂《た》らし、朝鮮《ちょうせん》（魚《さかな》）を狙《ねら》っている様子《ようす》が描《えが》かれています。さらに、ロシア（上《うえ》）もその朝鮮《ちょうせん》を狙《ねら》っており、当時《とうじ》の国際情勢《こくさいじょうせい》の緊張感《きんちょうかん》が表現《ひょうげん》されています。

考《かんが》えてみよう

- なぜ日本《にっぽん》は清《しん》と戦《たたか》うことになったのだろう？
- 日清戦争《にっしんせんそう》ぼっ発当時《ぱつとうじ》の日本国内《にっぽんこくない》の様子《ようす》を調《しら》べよう！

★朝鮮《ちょうせん》の支配権《しはいけん》をめぐって清《しん》と戦《たたか》った

日清戦争《にっしんせんそう》は、1894年《ねん》から1895年《ねん》にかけて日本《にっぽん》と清《しん》（現在《げんざい》の中国《ちゅうごく》）の間《あいだ》で朝鮮《ちょうせん》（現在《げんざい》の韓国《かんこく》と北朝鮮《きたちょうせん》）の支配権《しはいけん》をめぐって行《おこな》われた戦争《せんそう》です。当時《とうじ》、東《ひがし》アジアで最大《さいだい》の国力《こくりょく》を誇《ほこ》っていた清《しん》と、近代化《きんだいか》を進《すす》めていた日本《にっぽん》は、朝鮮半島《ちょうせんはんとう》への影響力《えいきょうりょく》を強《つよ》めようとしていました。

1894年《ねん》1月《がつ》に朝鮮南部《ちょうせんなんぶ》で大規模《だいきぼ》な農民《のうみん》の反乱《はんらん》が起《お》こると、自力《じりき》で反乱《はんらん》を鎮圧《ちんあつ》できない李氏朝鮮政府《りしちょうせんせいふ》が清《しん》に出兵《しゅっぺい》を要請《ようせい》しました。朝鮮半島《ちょうせんはんとう》での影響力《えいきょうりょく》を強《つよ》めたい日本《にっぽん》も、朝鮮《ちょうせん》にいる日本人《にっぽんじん》の保護《ほご》を理由《りゆう》に軍《ぐん》を送《おく》り、対立《たいりつ》が深《ふか》まりました。そして、同年《どうねん》7月《がつ》に日本《にっぽん》は清《しん》に宣戦《せんせん》布告《ふこく》し、日清戦争《にっしんせんそう》が始《はじ》まりました。これは明治維新以降《めいじいしんいこう》、西洋《せいよう》の技術《ぎじゅつ》や制度《せいど》の導入《どうにゅう》などの近代化《きんだいか》を進《すす》め、軍事力《ぐんじりょく》を強化《きょうか》してきた日本《にっぽん》にとって初《はじ》めての外国《がいこく》との本格的《ほんかくてき》な戦争《せんそう》でした。

日清戦争《にっしんせんそう》は日本《にっぽん》の勝利《しょうり》に終《お》わり、1895年《ねん》に下関条約《しものせきじょうやく》が締結《ていけつ》されました。日本《にっぽん》の国際的地位《こくさいてきちい》は向上《こうじょう》し、江戸幕府《えどばくふ》が結《むす》んだ不平等条約《ふびょうどうじょうやく》の改《かい》正交渉《せいこうしょう》も進展《しんてん》しました。日本《にっぽん》は台湾《たいわん》や遼東半島《リャオトンはんとう》を獲得《かくとく》しました（しかし、遼東半島《リャオトンはんとう》はロシア、ドイツ、フランスによる三国干渉《さんごくかんしょう》によって清《しん》にすぐに返還《へんかん》されることになりました）。また、清《しん》から支払《しはら》われた賠償金《ばいしょうきん》は、日清戦争前《にっしんせんそうまえ》の日本《にっぽん》の国家歳出《こっかさいしゅつ》の4倍《ばい》に達《たっ》するものでした。その83%は軍艦建造費《ぐんかんけんぞうひ》など軍拡予算《ぐんかくよさん》として使《つか》われましたが、一部《いちぶ》は官営八幡製鉄所《かんえいやはたせいてつじょ》の建設《けんせつ》にも使《つか》われました。

日清戦争後《にっしんせんそうご》、三国干渉《さんごくかんしょう》で苦汁《くじゅう》を飲《の》んだ日本《にっぽん》は、「臥薪嘗胆《がしんしょうたん》（目的《もくてき》や復《ふく》しゅうを果《は》たすために、苦《くる》しみに耐《た》えながら努力《どりょく》を続《つづ》けること）」をスローガンに、ロシアとの戦争《せんそう》に備《そな》えた軍事力増強《ぐんじりょくぞうきょう》にまい進《しん》します。日清戦争《にっしんせんそう》と日露戦争《にちろせんそう》（54ページ）は、朝鮮半島《ちょうせんはんとう》の支配権《しはいけん》をめぐる周《しゅう》辺大国《へんたいこく》の争《あらそ》いという意味《いみ》で深《ふか》く関係《かんけい》づけられた戦争《せんそう》でした。

3

日露戦争《にちろせんそう》の原因《げんいん》とその影響《えいきょう》は?

1905年《ねん》5月《がつ》27日《にち》～28日《にち》の日本海海戦《にほんかいかいせん》で、戦艦三笠《せんかんみかさ》から指揮《しき》をとった連合艦隊司令《れんごうかんたいしれい》長官《ちょうかん》・東郷平八郎《とうごうへいはちろう》（右《みぎ》から4番目《ばんめ》）の様子《ようす》を描《えが》いた絵《え》。日本《にっぽん》は勝利《しょうり》を重《かさ》ねていましたが、戦費《せんぴ》や武器《ぶき》・弾薬《だんやく》が不足《ふそく》して戦争継続《せんそうけいぞく》が困難《こんなん》となっていました。そんななか、ロシアのバルチック艦隊《かんたい》を激減《げきげん》する決定的勝利《けっていてきしょうり》を得《え》たことで講和会議《こうわかいぎ》に進《すす》みました。

考《かんが》えてみよう

- 日本《にっぽん》はなぜ大国《たいこく》ロシアに戦争《せんそう》を挑《いど》んだのだろう?
- 日本《にっぽん》の国民《こくみん》はなぜ講和条約《こうわじょうやく》に反対《はんたい》したのだろう?

★日露《にちろ》戦争《せんそう》後《ご》の国民《こくみん》の怒《いか》りと世界《せかい》の反応《はんのう》

　日清戦争終結《にっしんせんそうしゅうけつ》から約《やく》9年後《ねんご》の1904年《ねん》、日本《にっぽん》は朝鮮半島《ちょうせんはんとう》に影響力《えいきょうりょく》を増大《ぞうだい》させるロシアとの戦争《せんそう》に踏《ふ》み切《き》りました。朝鮮半島《ちょうせんはんとう》は、日本《にっぽん》の安《あん》全《ぜん》にとって決定的《けっていてき》な重要性《じゅうようせい》を持《も》つと認識《にんしき》されていました。当時《とうじ》、日本《にっぽん》は朝鮮《ちょうせん》に強《つよ》い影響力《えいきょうりょく》を持《も》っていましたが、朝鮮北部《ちょうせんほくぶ》にロシアが進出《しんしゅつ》しようとしていたため、対立《たいりつ》が激《はげ》しくなり、戦争《せんそう》が避《さ》けられなくなったのです。日清戦争《にっしんせんそう》で得《え》た莫大《ばくだい》な賠償金《ばいしょうきん》を使《つか》って急速《きゅうそく》に軍事力《ぐんじりょく》を強化《きょうか》した日本《にっぽん》と南満州《みなみまんしゅう》に進出《しんしゅつ》するロシアは、遼東半島《リャオトンはんとう》や奉天《ほうてん》（現在《げんざい》の中国《ちゅうごく》遼《りょう》寧省瀋陽市《ねいしょうしんようし》）で陸戦《りくせん》を、日本海《にほんかい》では大規模《だいきぼ》な海戦《かいせん》を繰《く》り広《ひろ》げました。

　日本《にっぽん》は奉天会戦《ほうてんかいせん》で勝利《しょうり》しましたが、武器《ぶき》・弾薬《だんやく》の補給《ほきゅう》や戦費《せんぴ》の調達《ちょうたつ》が困難《こんなん》になっており、戦力的《せんりょくてき》には劣勢《れっせい》となっていました。日本政府《にっぽんせいふ》は戦争《せんそう》の継続《けいぞく》が難《むずか》しいと判断《はんだん》。アメリカのルーズベルト大統領《だいとうりょう》に仲介《ちゅうかい》を要請《ようせい》し、アメリカのポーツマスで戦争《せんそう》を終《お》わらせるためのロシアとの講和会議《こうわかいぎ》に動《うご》きました。1905年《ねん》9月《がつ》5日《いつか》に講和条約《こうわじょうやく》が締結《ていけつ》され、日《にっ》本《ぽん》は朝鮮半島《ちょうせんはんとう》における優越権《ゆうえつけん》、清国《しんこく》の承諾《しょうだく》を得《え》たうえでの旅順《りょじゅん》と大連《だいれん》の租借権《そしゃくけん》、樺太《からふと》の南半分《なんはんぶん》などを獲得《かくとく》しました。

　しかし戦死者《せんししゃ》が8万《まん》4000人《にん》に上《のぼ》り、増税《ぞうぜい》による苦《くる》しい生活《せいかつ》に耐《た》えたにもかかわらず賠償金《ばいしょうきん》を得《え》られなかったことから、国民《こくみん》は不満《ふまん》を抱《いだ》き、日比谷《ひびやや》焼《や》き打《う》ち事件《じけん》など、全国《ぜんこく》で暴動《ぼうどう》が起《お》きました。ポーツマス講和会議《こうわかいぎ》で全権代表《ぜんけんだいひょう》を務《つと》めた小村寿太郎外相《こむらじゅたろうがいしょう》ら当時《とうじ》の指導者《しどうしゃ》の判断《はんだん》は賢明《けんめい》なものでしたが、戦争《せんそう》の実態《じったい》を知《し》らない国民《こくみん》の過剰《かじょう》なナショナリズム（45ページ）によって外交《がいこう》は大《おお》きな圧力《あつりょく》にさらされたのです。

　日本《にっぽん》の勝利《しょうり》は、欧米列強《おうべいれっきょう》の植民地《しょくみんち》になっていたアジアの人々《ひとびと》に勇気《ゆうき》と希望《きぼう》を与《あた》えました。一方《いっぽう》、黄色人種《おうしょくじんしゅ》を脅威《きょうい》とみなす「黄禍《こうか》」論《ろん》が欧《おう》米《べい》で高《たか》まり、アメリカでは日本人移民排斥運動《にっぽんじんいみんはいせきうんどう》が起《お》こりました。

4

第《だい》一《いち》次《じ》世《せ》界《かい》大《たい》戦《せん》にどのように参《さん》戦《せん》したのか？

1914年《ねん》、第一次世界大戦中《だいいちじせかいたいせんちゅう》に日本陸軍《にっぽんりくぐん》がドイツ領《りょう》青島《チンタオ》を攻撃《こうげき》した際《さい》に、四五式二十《よんじゅうごしきにじゅう》糎榴弾砲《せんちりゅうだんほう》による砲撃準備《ほうげきじゅんび》の様子《ようす》。砲兵《ほうへい》たちは塹壕《ざんごう》と土嚢《どのう》で守《まも》られた陣地《じんち》に展開《てんかい》し、前《ぜん》線《せん》との連絡《れんらく》を有線電話《ゆうせんでんわ》で取《と》りながら作戦《さくせん》を遂行《すいこう》しました。塹壕戦《ざんごうせん》など第一次世界大戦《だいいちじせかいたいせん》にも影響《えいきょう》を与《あた》えた歴史的《れきしてき》な戦《たたか》いになりました。

考《かんが》えてみよう

● 日本《にっぽん》と中国《ちゅうごく》の関係《かんけい》が第一次世界大戦《だいいちじせかいたいせん》を境《さかい》に、どのように変化《へんか》していったのか調《しら》べてみよう！

★本格的戦争《ほんかくてきせんそう》をしないで戦勝国《せんしょうこく》となった日本《にっぽん》

日本《にっぽん》は、1914年《ねん》にぼっ発《ぱつ》した第一次世界大戦《だいいちじせかいたいせん》において、当時結《とうじむす》んでいた日英同盟《にちえいどうめい》に基《もと》づき、同盟国《どうめいこく》イギリスの要請《ようせい》を受《う》けて参戦《さんせん》しました。日本《にっぽん》のおもな作戦行動《さくせんこうどう》は、ドイツが中国《ちゅうごく》・山東半島《さんとうはんとう》に有《ゆう》していた租借地《そしゃくち》・青島《チンタオ》の攻略《こうりゃく》および南洋諸島《なんようしょとう》（現在《げんざい》の北《きた》マリアナ諸島《しょとう》、パラオ、マーシャル諸島《しょとう》、ミクロネシア連邦《れんぽう》に相当《そうとう》する地域《ちいき》）の占領《せんりょう》でした。

青島《チンタオ》の戦《たたか》いでは、日本軍《にっぽんぐん》はイギリス軍《ぐん》と協力《きょうりょく》し、ドイツ軍《ぐん》を排除《はいじょ》。南洋諸島《なんようしょとう》では、ドイツが統治《とうち》していた島々《しまじま》を日本《にっぽん》が占領《せんりょう》しました。

また、1915年《ねん》、日本《にっぽん》は中国《ちゅうごく》に対《たい》して「二十一《にじゅういち》カ条《じょう》の要求《ようきゅう》」を提示《ていじ》しました。これは、中国《ちゅうごく》における日本《にっぽん》の権益拡大《けんえきかくだい》を目的《もくてき》としたもので、おもに山東半島《さんとうはんとう》の旧《きゅう》ドイツ権益《けんえき》の継承《けいしょう》、日本企業《にっぽんきぎょう》への経済的優遇《けいざいてきゆうぐう》、満《まん》洲《しゅう》や内蒙古《うちもうこ》における権利《けんり》の強化《きょうか》などが盛《も》り込《こ》まれていました。中国政《ちゅうごくせい》府《ふ》はその一部《いちぶ》を受《う》け入《い》れましたが、この要求《ようきゅう》は中国国内《ちゅうごくこくない》で強《つよ》い反発《はんぱつ》を呼《よ》び、日本《にっぽん》に対《たい》する不信感《ふしんかん》を高《たか》める結果《けっか》となりました。

とくに、戦後《せんご》のヴェルサイユ講和会議《こうわかいぎ》で、山東半島《さんとうはんとう》の旧《きゅう》ドイツ権益《けんえき》が日本《にっぽん》に引《ひ》き継《つ》がれることが決《き》まると、中国国内《ちゅうごくこくない》で怒《いか》りの声《こえ》が上《あ》がりました。1919年《ねん》には北京《ペキン》の学生《がくせい》たちを中心《ちゅうしん》に、「五《ご》・四運動《しうんどう》」と呼《よ》ばれる大《おお》きな反日抗議運動《はんにちこうぎうんどう》が起《お》こります。この運動《うんどう》は全国《ぜんこく》に広《ひろ》がり、中国《ちゅうごく》の人々《ひとびと》の民族意識《みんぞくいしき》を高《たか》めるきっかけとなりました。

一方《いっぽう》、日本《にっぽん》は戦勝国《せんしょうこく》として、国際社会《こくさいしゃかい》での立場《たちば》を大《おお》きく高《たか》めました。国際連盟《こくさいれんめい》で常任理事国《じょうにんりじこく》となるなど、大国《たいこく》の一員《いちいん》としての役割《やくわり》を担《にな》っていくようになります。しかし、1000万人《まんにん》の死者《ししゃ》を出《だ》した大戦《たいせん》を経《へ》て、帝国主義《ていこくしゅぎ》は終《お》わりを告《つ》げていました。日本《にっぽん》はこの歴史《れきし》の変化《へんか》を十分《じゅうぶん》に認識《にんしき》できず、帝国主義的《ていこくしゅぎてき》な行動《こうどう》を続《つづ》けていきました。それは中国《ちゅうごく》との関係《かんけい》を難《むずか》しいものとしていきます。

5

満州事変《まんしゅうじへん》から日中戦争《にっちゅうせんそう》へ

盧溝橋《ろこうきょう》近《ちか》くの中国人民抗日戦争記念館《ちゅうごくじんみんこうにちせんそうきねんかん》。2001年《ねん》10月《がつ》、小泉純一郎首相《こいずみじゅんいちろうしゅしょう》が訪《おとず》れ、「過《か》去《こ》の歴史《れきし》をよく勉強《べんきょう》することによって、人間《にんげん》というのは反省《はんせい》し、将来《しょうらい》その反省《はんせい》を生《い》かしていかなければならない」と述《の》べました。一方《いっぽう》、同年《どうねん》8月《がつ》、小泉首相《こいずみしゅしょう》は戦争犯罪人《せんそうはんざいにん》とされた政治家《せいじか》や軍人《ぐんじん》も祀《まつ》る靖国神社《やすくにじんじゃ》を参拝《さんぱい》し、中国《ちゅうごく》や韓国《かんこく》が批判《ひはん》しました。

考《かんが》えてみよう

- 日本《にっぽん》が満州事変《まんしゅうじへん》を起《お》こしたことをどう思《おも》う?
- 満州国《まんしゅうこく》が現在《げんざい》の中国《ちゅうごく》のどのあたりか調《しら》べてみて!

★終戦《しゅうせん》まで長期化《ちょうきか》した中国《ちゅうごく》との戦争《せんそう》

1931年《ねん》、満州《まんしゅう》（現在《げんざい》の中国東北部《ちゅうごくとうほくぶ》）で「満州事変《まんしゅうじへん》」が起《お》こりました。その発端《ほったん》は、関東軍《かんとうぐん》（日露戦争後《にちろせんそうご》に遼東半島《リャオトンはんとう》の一部《いちぶ》である関東州《かんとうしゅう》と南《みなみ》満州鉄道沿線《まんしゅうてつどうえんせん》を守《まも》るために駐留《ちゅうりゅう》した陸軍部隊《りくぐんぶたい》）が同鉄道《どうてつどう》の線路《せんろ》を爆破《ばくは》した柳条湖事件《りゅうじょうこじけん》です。あたかも中国《ちゅうごく》が爆破《ばくは》したように見《み》せかけ、これを機《き》に満州各地《まんしゅうかくち》への進軍《しんぐん》を開始《かいし》しました。当時《とうじ》、満州《まんしゅう》は経済的《けいざいてき》にも軍事的《ぐんじてき》にも重要《じゅうよう》な地域《ちいき》だったため、日本《にっぽん》は権益《けんえき》を強化《きょうか》したいと考《かんが》えていたのです。その後《ご》、満州《まんしゅう》を占領《せんりょう》し、清朝最後《しんちょうさいご》の皇帝溥儀《こうていふぎ》を元首《げんしゅ》とする「満州国《まんしゅうこく》」として独立《どくりつ》させました。

しかし、この日本《にっぽん》の行動《こうどう》は国際社会《こくさいしゃかい》から非難《ひなん》を受《う》けることになります。国際連盟《こくさいれんめい》はリットン調査団《ちょうさだん》を派遣《はけん》し、満州事変《まんしゅうじへん》を「日本《にっぽん》の不当《ふとう》な侵略《しんりゃく》」と認定《にんてい》。満州《まんしゅう》からの撤退《てったい》を要求《ようきゅう》しましたが、日本《にっぽん》は「満州《まんしゅう》の安定《あんてい》と秩序《ちつじょ》を守《まも》るため」と主張《しゅちょう》し、1933年《ねん》には国際連盟《こくさいれんめい》を脱退《だったい》しました。

1937年《ねん》に、日本《にっぽん》と中国《ちゅうごく》の兵士《へいし》が北京《ペキン》郊外《こうがい》の盧溝橋近《ろこうきょうちか》くで衝突《しょうとつ》した盧溝橋事件《ろこうきょうじけん》が起《お》きると、関東軍《かんとうぐん》は日本政府《にっぽんせいふ》の不拡大方針《ふかくだいほうしん》を無視《むし》して軍事行動《ぐんじこうどう》を拡大《かくだい》。この事件《じけん》をきっかけに、日本《にっぽん》は中国《ちゅうごく》との全面的《ぜんめんてき》な戦争《せんそう》（日中戦争《にっちゅうせんそう》）に突入《とつにゅう》することになりました。

日本《にっぽん》は占領地《せんりょうち》を拡大《かくだい》したものの、蒋介石《しょうかいせき》が率《ひき》いる国民党政府《こくみんとうせいふ》の抵抗《ていこう》に加《くわ》えて、中国共産党《ちゅうごくきょうさんとう》もゲリラ戦《せん》を展開《てんかい》。日本軍《にっぽんぐん》は点《てん》と線《せん》を守《まも》るのがやっとで、戦争《せんそう》はこう着状態《ちゃくじょうたい》に陥《おちい》ります。この戦争《せんそう》によって中国《ちゅうごく》では民間人《みんかんじん》を含《ふく》む数百万《すうひゃくまん》から数千万《すうせんまん》という数《かず》の人命《じんめい》が失《うしな》われました。

国際社会《こくさいしゃかい》の日本《にっぽん》への非難《ひなん》が強《つよ》まるなか、日本《にっぽん》は国際的孤立《こくさいてきこりつ》に追《お》い込《こ》まれていきました。このことが最終的《さいしゅうてき》に太平洋戦争《たいへいようせんそう》へとつながる一因《いちいん》ともなりました。そして、日中戦争《にっちゅうせんそう》の終結《しゅうけつ》は1945年《ねん》、第二次世界大戦《だいにじせかいたいせん》が終《お》わるまで待《ま》たなければなりませんでした。

6

太平洋戦争《たいへいようせんそう》に突《つ》き進《すす》んだ帝国日本《ていこくにっぽん》

1941 年《ねん》12 月《がつ》8 日《ようか》、日本軍《にっぽんぐん》はハワイにあるアメリカ太平洋艦隊《たいへいようかんたい》の基地《きち》である真珠湾《しんじゅわん》を攻撃《こうげき》（写真《しゃしん》）し、イギリス領《りょう》のマレー半島《はんとう》にも奇襲上陸《きしゅうじょうりく》。日本《にっぽん》はアメリカをはじめとする連合国《れんごうこく》との太平洋戦争《たいへいようせんそう》に突入《とつにゅう》したのです。事実上《じじつじょう》の「最後通牒《さいごつうちょう》」がワシントン駐在《ちゅうざい》野村吉三郎大使《のむらきちさぶろうたいし》からハル国務長官《こくむちょうかん》に手渡《てわた》されたのは真珠湾攻撃《しんじゅわんこうげき》のあとでした。

考《かんが》えてみよう

- 日本《にっぽん》が戦争《せんそう》した理由《りゆう》を自分《じぶん》なりに考《かんが》えてみよう！
- 当時《とうじ》の日本人《にっぽんじん》は戦争《せんそう》に賛成《さんせい》だったのだろうか？

★さまざまな理由《りゆう》で戦争《せんそう》に突入《とつにゅう》した日本《にっぽん》

1939年《ねん》9月《がつ》、ドイツがポーランドに侵攻《しんこう》し、第二次世界大戦《だいにじせかいたいせん》がぼっ発《ぱつ》。フランスが降伏《こうふく》した1940年《ねん》、日本《にっぽん》は北部仏印《ほくぶふついん》（フランス領《りょう》インドシナ：現在《げんざい》のベトナム北部《ほくぶ》）に軍《ぐん》を進駐《しんちゅう》させました。石油《せきゆ》やゴムなどの重要物資《じゅうようぶっし》を確保《かくほ》するチャンスととらえたのです。また、日本《にっぽん》と対立《たいりつ》していた蒋介石《しょうかいせき》が率《ひき》いる国民党《こくみんとう》への支援物資輸送《しえんぶっしゆそう》のために、アメリカやソ連《れん》などが使用《しよう》したルート（援蒋《えんしょう》ルート）をしゃ断《だん》するためでもありました。ドイツの快進撃《かいしんげき》に日本《にっぽん》は「バスに乗《の》り遅《おく》れるな」と叫《さけ》ぶ陸軍《りくぐん》に引《ひ》きずられてドイツ、イタリアとの三国同盟《さんごくどうめい》を締結《ていけつ》し、アメリカとの対決姿勢《たいけつしせい》を鮮明《せんめい》にします。日米間《にちべいかん》では戦争回避《せんそうかいひ》のための交渉《こうしょう》も行《おこな》われましたが、日本軍《にっぽんぐん》は南部仏印《なんぶふついん》にも進駐《しんちゅう》します。これに対《たい》し、アメリカは対日石油全面禁輸《たいにちせきゆぜんめんきんゆ》に踏《ふ》み切《き》りました。日米交渉《にちべいこうしょう》は行《ゆ》きづまり、アメリカの「ハル・ノート」発出《はっしゅつ》を受《う》けて、日本《にっぽん》は御前会議《ごぜんかいぎ》で開戦《かいせん》を決定《けってい》し、1941年《ねん》12月《がつ》8日《ようか》に真珠湾攻撃《しんじゅわんこうげき》が行《おこな》われたのです。

こうして始《はじ》まった太平洋戦争《たいへいようせんそう》で、日本《にっぽん》は当初《とうしょ》こそ戦果《せんか》を挙《あ》げましたが、次第《しだい》に軍事力《ぐんじりょく》と経済力《けいざいりょく》で優《まさ》るアメリカに圧倒《あっとう》されていきました。

知《し》っておくべきコトバ

最後通牒《さいごつうちょう》

最終的《さいしゅうてき》な要求《ようきゅう》を提示《ていじ》し、受《う》け入《い》れられなければ武力行使《ぶりょくこうし》に出《で》ることを警告《けいこく》する外交文書《がいこうぶんしょ》。1941年《ねん》11月《がつ》、日本《にっぽん》はアメリカのハル国務長官《こくむちょうかん》から、いわゆる「ハル・ノート」という文書《ぶんしょ》を渡《わた》されました。内容《ないよう》は中国《ちゅうごく》や仏印《ふついん》からの軍《ぐん》の撤退《てったい》、日独伊三国同盟《にちどくいさんごくどうめい》の破棄《はき》を求《もと》めるなどの厳《きび》しいものでした。日本《にっぽん》は、これを事実上《じじつじょう》の最後通牒《さいごつうちょう》と受《う》けとめました。一方《いっぽう》、日本《にっぽん》の最後通牒《さいごつうちょう》は真珠湾攻撃開始後《しんじゅわんこうげきかいしご》となったため、ルーズベルト大統領《だいとうりょう》は「だまし討《う》ち」と非難《ひなん》し、アメリカ国民《こくみん》の戦意《せんい》を奮《ふる》い立《た》たせることにもなりました。

7

日本《にっぽん》の敗戦《はいせん》

1945年《ねん》8月《がつ》6日《むいか》に投下《とうか》された原子爆弾《げんしばくだん》によって焼《や》け野原《のはら》になった広島《ひろしま》の様子《ようす》。この3日後《みっかご》に長崎《ながさき》にも原子爆弾《げんしばくだん》が落《お》とされ、両都市《りょうとし》で20万人以上《まんにんいじょう》が亡《な》くなりました。また、日本《にっぽん》の主要都市《しゅようとし》はほとんど空襲《くうしゅう》され、東京大空襲《とうきょうだいくうしゅう》では約《やく》10万人《まんにん》が亡《な》くなりました。

考《かんが》えてみよう

- 日本《にっぽん》はなぜもっと早《はや》く降伏《こうふく》できなかったのだろう?
- アメリカは原爆《げんばく》を落《お》とす必要《ひつよう》があったのだろうか?

★原爆《げんばく》投下《とうか》とソ連《れん》参戦《さんせん》で無条件《むじょうけん》降伏《こうふく》を決《き》めた

　第二次世界大戦《だいにじせかいたいせん》は、米英仏《べいえいふつ》ソなどの連合国《れんごうこく》が日独伊《にちどくい》などの枢軸国《すうじくこく》に勝利《しょうり》しましたが、その最大《さいだい》の要因《よういん》は、1941 年《ねん》、不可侵条約《ふかしんじょうやく》を結《むす》んでいたドイツから突如侵攻《とつじょしんこう》されたソ連《れん》と、日本《にっぽん》から真珠湾攻撃《しんじゅわんこうげき》を受《う》けたアメリカが参戦《さんせん》したことです。枢軸国側《すうじくこくがわ》は追《お》い込《こ》まれ、1943 年《ねん》9 月《がつ》にイタリアが降伏《こうふく》し、1945 年《ねん》5 月《がつ》にはドイツも降伏《こうふく》しました。

　日本《にっぽん》は軍部《ぐんぶ》が徹底抗戦《てっていこうせん》を叫《さけ》びましたが、8 月《がつ》6 日《むいか》に広島《ひろしま》、9 日《ここのか》には長崎《ながさき》に、アメリカが開発《かいはつ》に成功《せいこう》したばかりの原子爆弾《げんしばくだん》が投下《とうか》され、8 日《ようか》にソ連《れん》が日《にっ》ソ中立条約《ちゅうりつじょうやく》を破棄《はき》して満州《まんしゅう》に侵攻《しんこう》したことを受《う》け、無条件降伏《むじょうけんこうふく》しました。すなわち、8 月《がつ》14 日《じゅうよっか》、天皇《てんのう》の聖断《せいだん》（天皇《てんのう》が下《くだ》される決断《けつだん》）によってポツダム宣言《せんげん》を受諾《じゅだく》し、翌《よく》15 日《にち》、天皇《てんのう》の「終戦《しゅうせん》の詔書《しょうしょ》」（詔書《しょうしょ》とは、天皇《てんのう》が国民《こくみん》に伝《つた》える公文書《こうぶんしょ》）がラジオ放送《ほうそう》（玉音放送《ぎょくおんほうそう》）され、国民《こくみん》は終戦《しゅうせん》を知《し》ったのです。

　満州《まんしゅう》はソ連軍《れんぐん》によって占拠《せんきょ》され、北方領土《ほっぽうりょうど》（80 ページ）も占領《せんりょう》されました。このとき捕虜《ほりょ》となった日本兵《にっぽんへい》たちはシベリアに抑留《よくりゅう》され、約《やく》5 万《まん》5000 人《にん》が強制労働《きょうせいろうどう》によって命《いのち》を落《お》としました。

知《し》っておくべきコトバ

原爆《げんばく》ドーム

1945 年《ねん》の原爆投下《げんばくとうか》により壊滅《かいめつ》した旧広島県産業奨励館《きゅうひろしまけんさんぎょうしょうれいかん》の建物《たてもの》。爆心地《ばくしんち》に近《ちか》く、衝撃波《しょうげきは》が真上《まうえ》から来《き》たため、爆風《ばくふう》が多《おお》くの窓《まど》から抜《ぬ》け、ドーム部分《ぶぶん》が残《のこ》りました。当時《とうじ》この建物《たてもの》にいた人《ひと》は全員即死《ぜんいんそくし》。2016 年《ねん》には、バラク・オバマ大統領《だいとうりょう》（48 ページ）が訪問《ほうもん》しました。ユネスコの世界遺産《せかいいさん》に登録《とうろく》されています。

8

日本《にっぽん》の復興《ふっこう》と国際社会《こくさいしゃかい》への復帰《ふっき》

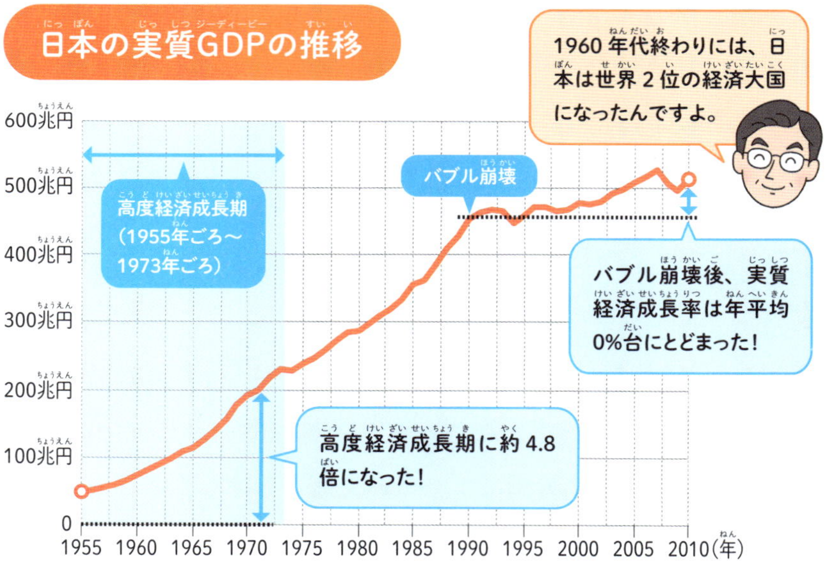

GDP《ジーディーピー》は「国内総生産《こくないそうせいさん》」のことで、経済規模《けいざいきぼ》を表《あらわ》す数値《すうち》です。日本《にっぽん》は1945年《ねん》に第二次世界大戦《だいにじせかいたいせん》で敗戦《はいせん》したあと、戦後復興《せんごふっこう》と高度経済成長期《こうどけいざいせいちょうき》（年平均《ねんへいきん》10%前後《ぜんご》の経済成長率《けいざいせいちょうりつ》を記録《きろく》）を経《へ》て、世界第二《せかいだいに》の経済大国《けいざいたいこく》になりました。しかし、1990年《ねん》のバブル崩壊後《ほうかいご》は経済停滞《けいざいていたい》が続《つづ》き、「失《うしな》われた30年《ねん》」と呼《よ》ばれたほどです。

出所：内閣府「国民経済計算」より国土交通省作成

考《かんが》えてみよう

- 戦後《せんご》の日本《にっぽん》がどう立《た》ち直《なお》ったか調《しら》べてみよう！
- 周囲《しゅうい》に戦争経験者《せんそうけいけんしゃ》がいれば、話《はなし》を聞《き》いてみて！

★敗戦《はいせん》で民主主義《みんしゅしゅぎ》国家《こっか》に生《う》まれ変《か》わった日本《にっぽん》

戦後《せんご》の日本《にっぽん》は、戦争《せんそう》からの復興《ふっこう》と民主主義《みんしゅしゅぎ》の確立《かくりつ》、そして経済成長《けいざいせいちょう》によって新《あら》たな時代《じだい》を迎《むか》えました。敗戦《はいせん》という厳《きび》しい現実《げんじつ》に直面《ちょくめん》した日本《にっぽん》はアメリカを中心《ちゅうしん》とする連合国軍《れんごうこくぐん》の占領下《せんりょうか》に置《お》かれ、占領期間中《せんりょうきかんちゅう》は日本《にっぽん》の変革期《へんかくき》になりました。

民主主義《みんしゅしゅぎ》の導入《どうにゅう》などの政治的《せいじてき》な変革《へんかく》が行《おこな》われ、1947年《ねん》には新《あたら》しい日本国憲法《にっぽんこくけんぽう》が施行《しこう》されました。そのなかで天皇《てんのう》は国民《こくみん》の象徴《しょうちょう》とされたほか、戦争放棄《せんそうほうき》と平和主義《へいわしゅぎ》を宣言《せんげん》しました。

戦争《せんそう》によって国土《こくど》を破壊《はかい》された日本《にっぽん》は、経済的《けいざいてき》に大《おお》きな困難《こんなん》に直面《ちょくめん》しましたが、アメリカや世界銀行《せかいぎんこう》などからの支援《しえん》の下《もと》、国民《こくみん》の努力《どりょく》もあって経済復興《けいざいふっこう》を成《な》し遂《と》げます。1960年代《ねんだい》には所得倍増計画《しょとくばいぞうけいかく》によって、その後《ご》30年近《ねんちか》く続《つづ》く「成長《せいちょう》の時代《じだい》」を切《き》り開《ひら》いたのです。

対外的《たいがいてき》には、1951年《ねん》、サンフランシスコ平和条約《へいわじょうやく》に署名《しょめい》して独立《どくりつ》を回復《かいふく》し、1956年《ねん》には国際連合《こくさいれんごう》に加盟《かめい》。平和憲法《へいわけんぽう》の下《もと》、経済大国《けいざいたいこく》となっても軍事大国《ぐんじたいこく》とはならず、ODA《オーディーエー》（102ページ）などの国際協力《こくさいきょうりょく》で世界《せかい》の平和《へいわ》と繁栄《はんえい》に貢献《こうけん》して国際社会《こくさいしゃかい》での地位《ちい》を高《たか》めていきました。

知《し》っておくべきコトバ

吉田《よしだ》ドクトリン

吉田茂首相《よしだしげるしゅしょう》（任期《にんき》：1946-1947年《ねん》、1948-1954年《ねん》）によって打《う》ち出《だ》された日本《にっぽん》の国家方針《こっかほうしん》・外交戦略《がいこうせんりゃく》のこと。その柱《はしら》は、「軽武装《けいぶそう》・経済重視《けいざいじゅうし》・日米安保中心《にちべいあんぽちゅうしん》」でした。吉田路線《よしだろせん》の下《もと》、日本《にっぽん》は「奇跡《きせき》」といわれる戦後復興《せんごふっこう》を遂《と》げ、世界《せかい》2位《い》の経済大国《けいざいたいこく》へと成長《せいちょう》したのです。

吉田茂《よしだしげる》

9

国《こく》際《さい》協《きょう》調《ちょう》と
外《がい》交《こう》の三《さん》原《げん》則《そく》

「外《がい》交《こう》の三《さん》原《げん》則《そく》」とは?

日本《にっぽん》は話《はな》し合《あ》いで問《もん》題《だい》解《かい》決《けつ》しようとする「国《こく》際《さい》協《きょう》調《ちょう》主《しゅ》義《ぎ》」を大《たい》切《せつ》にしているんですよ。

外《がい》交《こう》の三《さん》原《げん》則《そく》

❶ 国《こく》際《さい》連《れん》合《ごう》中《ちゅう》心《しん》

世《せ》界《かい》の国々《くにぐに》が集《あつ》まる国《こく》連《れん》を大《たい》切《せつ》にする!

❷ 自《じ》由《ゆう》主《しゅ》義《ぎ》諸《しょ》国《こく》との協《きょう》調《ちょう》

自《じ》由《ゆう》や民《みん》主《しゅ》主《しゅ》義《ぎ》、法《ほう》の支《し》配《はい》を大《たい》切《せつ》にする国《くに》と仲《なか》良《よ》くする!

❸ アジアの一《いち》員《いん》としての立《たち》場《ば》の堅《けん》持《じ》

アジアの一《いち》員《いん》として役《やく》割《わり》を果《は》たす!

考《かんが》えてみよう

- 「外《がい》交《こう》の三《さん》原《げん》則《そく》」は互《たが》いに矛《む》盾《じゅん》しないだろうか?
- 日《にち》米《べい》同《どう》盟《めい》と日中《にっちゅう》関《かん》係《けい》を両《りょう》立《りつ》させられると思《おも》う?

★国際協調《こくさいきょうちょう》と平和主義《へいわしゅぎ》の下《もと》での外交三原則《がいこうさんげんそく》

戦後日本《せんごにっぽん》の外交政策《がいこうせいさく》は、アメリカが主導《しゅどう》してつくり上《あ》げた国際秩序《こくさいちつじょ》を守《まも》り、アジアをはじめとする国際社会《こくさいしゃかい》での信頼《しんらい》を築《きず》くために重要《じゅうよう》な方針《ほうしん》として掲《かか》げた「外交《がいこう》の三原則《さんげんそく》」に基《もと》づいています。日本《にっぽん》が平和主《へいわしゅ》義《ぎ》の下《もと》、国際協調《こくさいきょうちょう》によって国際社会《こくさいしゃかい》での責任《せきにん》を果《は》たすための基盤《きばん》となる外交方針《がいこうほうしん》です。

まず、「国際連合中心《こくさいれんごうちゅうしん》」の原則《げんそく》です。戦前《せんぜん》、日本《にっぽん》は国際連盟《こくさいれんめい》を脱退《だったい》して国際的孤立《こくさいてきこりつ》のなかで国際秩序《こくさいちつじょ》に挑戦《ちょうせん》する戦争《せんそう》に突《つ》き進《すす》みました。その反省《はんせい》に立《た》って、戦後《せんご》、日本《にっぽん》は国連《こくれん》を中心《ちゅうしん》とする国際社会《こくさいしゃかい》における責任《せきにん》ある一員《いちいん》としての役割《やくわり》を果《は》たしてきました。具体的《ぐたいてき》には、平和《へいわ》と安全《あんぜん》の維持《いじ》、貧困《ひんこん》の削減《さくげん》、地球環境《ちきゅうかんきょう》の問題解決《もんだいかいけつ》などの国際社会《こくさいしゃかい》の課題《かだい》に積極的《せっきょくてき》に取《と》り組《く》んできました。

次《つぎ》に、「自由主義諸国《じゆうしゅぎしょこく》との協調《きょうちょう》」です。日本《にっぽん》は自由《じゆう》、民主主義《みんしゅしゅぎ》、法《ほう》の支配《しはい》、人権《じんけん》の尊重《そんちょう》などの基本的《きほんてき》な価値《かち》を共有《きょうゆう》するアメリカを中心《ちゅうしん》とする国々《くにぐに》との強《つよ》い協力関係《きょうりょくかんけい》を築《きず》いています。これにより、「自由《じゆう》で開《ひら》かれた国際社会《こくさいしゃかい》」という、国際秩序《こくさいちつじょ》の維持《いじ》に役割《やくわり》を果《は》たしています。

さらに、「アジアの一員《いちいん》としての立場《たちば》の堅持《けんじ》」です。アジア近隣諸《きんりんしょ》国《こく》との間《あいだ》には過去《かこ》の戦争《せんそう》という歴史問題《れきしもんだい》が横《よこ》たわってきました。日本《にっぽん》は経済的《けいざいてき》な協力《きょうりょく》などを通《つう》じて、アジアの安定《あんてい》と繁栄《はんえい》に貢献《こうけん》しています。

また、日本《にっぽん》は他国《たこく》からの攻撃《こうげき》に対《たい》する自衛《じえい》のためだけに武力《ぶりょく》を行使《こうし》する「専守防衛《せんしゅぼうえい》」や、核兵器《かくへいき》を「持《も》たず、作《つく》らず、持《も》ち込《こ》ませず」という非核三原則《ひかくさんげんそく》を守《まも》ることでも平和主義《へいわしゅぎ》を貫《つらぬ》いてきました。

日本《にっぽん》は、このような方針《ほうしん》を掲《かか》げてアジアと世界《せかい》の平和《へいわ》と安定《あんてい》に寄与《きよ》するための努力《どりょく》を続《つづ》けています。

10

平和《へいわ》主義《しゅぎ》とは何《なに》か? 日本《にっぽん》と世界《せかい》の関係《かんけい》は?

「消極的《しょうきょくてき》平和《へいわ》主義《しゅぎ》」と「積極的《せっきょくてき》平和《へいわ》主義《しゅぎ》」

消極的《しょうきょくてき》平和《へいわ》主義《しゅぎ》

→平和《へいわ》を唱《とな》えるだけで、そのために具《ぐ》体《たい》的《てき》な行動《こうどう》をとろうとしない平和主《へいわしゅ》義《ぎ》。

積極的《せっきょくてき》平和《へいわ》主義《しゅぎ》

→国民《こくみん》の命《いのち》を守《まも》りつつ、世界《せかい》の平和《へいわ》と安全《あんぜん》のためにも積極的《せっきょくてき》に取《と》り組《く》む平和主義《へいわしゅぎ》。

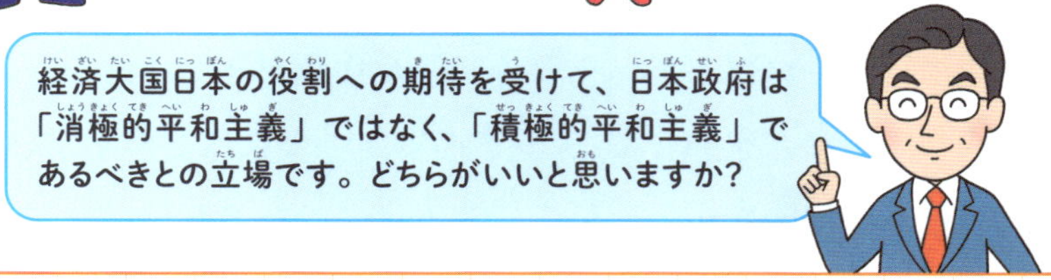

考《かんが》えてみよう

- 日本国憲法《にっぽんこくけんぽう》の前文《ぜんぶん》と第《だい》9条《じょう》を読《よ》んで何《なに》を感《かん》じる?
- 戦後日本《せんごにっぽん》が平和《へいわ》を維持《いじ》してこれたのはなぜだと思《おも》う?

★現実《げんじつ》の脅威《きょうい》に対応《たいおう》する平和主義《へいわしゅぎ》とは？

日本国憲法《にっぽんこくけんぽう》は前文《ぜんぶん》と第《だい》9条《じょう》で平和主義《へいわしゅぎ》の理念《りねん》を明《あき》らかにし、戦争《せんそう》の放棄《ほうき》や戦力《せんりょく》を保持《ほじ》しないことを明記《めいき》しており、日本《にっぽん》は二度《にど》と戦争《せんそう》を繰《く》り返《かえ》さない平和国家《へいわこっか》として歩《あゆ》んできました。

しかし、経済大国《けいざいたいこく》になった日本《にっぽん》は、平和《へいわ》の破壊者《はかいしゃ》とならないという「一国平和主義《いっこくへいわしゅぎ》」や口先《くちさき》だけの平和《へいわ》を唱《とな》えるだけの「消極的平和主義《しょうきょくてきへいわしゅぎ》」ではなく、国際社会《こくさいしゃかい》の平和《へいわ》と安全《あんぜん》のために積極的《せっきょくてき》に行動《こうどう》する「積極的平和主義《へいわしゅぎ》」へと変化《へんか》すべきだとの議論《ぎろん》も高《たか》まりました。また近年《きんねん》、米《べい》中対立《ちゅうたいりつ》や日本《にっぽん》を取《と》り巻《ま》く安全保障環境《あんぜんほしょうかんきょう》が厳《きび》しくなっていることを背景《はいけい》に、「積極的平和主義《せっきょくてきへいわしゅぎ》」の名《な》の下《もと》で、防衛力《ぼうえいりょく》や反撃力《はんげきりょく》（打《う》たれたら打《う》ち返《かえ》す）の整備《せいび》が進《すす》められています。2022年《ねん》に改訂《かいてい》された「国家安《こっかあん》全保障戦略《ぜんほしょうせんりゃく》」は、「我《わ》が国《くに》は戦後最《せんごもっと》も厳《きび》しく複雑《ふくざつ》な安全保障《あんぜんほしょう》のただ中《なか》にある」と指摘《してき》したうえで、「力強《ちからづよ》い外交《がいこう》を展開《てんかい》」し、そして「自分《じぶん》の国《くに》は自分《じぶん》で守《まも》り抜《ぬ》ける防衛力《ぼうえいりょく》を持《も》つ」ことで外交《がいこう》の足場《あしば》をしっかり固《かた》めると記《しる》しています。危機《きき》の時代《じだい》、「平和主義《へいわしゅぎ》」はどうあるべきか、おおいに考《かんが》えてみる必要《ひつよう》がありそうです。

知《し》っておくべきコトバ

一国平和主義《いっこくへいわしゅぎ》

自分《じぶん》の国《くに》が戦争《せんそう》を起《お》こさなければ、あるいは、自国《じこく》が平和《へいわ》でさえあればいいとの立《たち》場《ば》。しかし、日本《にっぽん》の平和主義《へいわしゅぎ》は、日本《にっぽん》が平和《へいわ》なら世界《せかい》がどうなろうとかまわないという考《かんが》え方《かた》ではありません。日本国憲法《にっぽんこくけんぽう》も一国平和主義《いっこくへいわしゅぎ》の立場《たちば》をとっていないことは前《ぜん》文《ぶん》（いづれの国家《こっか》も、自国《じこく》のことのみに専念《せんねん》して他国《たこく》を無視《むし》してはならない）からも明《あき》らかです。「戦争《せんそう》が起《お》きても何《なに》もしなくていいのか」については、今《いま》も国内《こくない》でいろいろな意見《いけん》があり、話《はな》し合《あ》いが続《つづ》いています。

COLUMN：知《し》っておきたいノーベル平和賞受賞者《へいわしょうじゅしょうしゃ》③

佐藤栄作《さとうえいさく》

佐藤栄作《さとうえいさく》（1901 － 1975年《ねん》）は日本《にっぽん》の総理大臣《そうりだいじん》を務《つと》めた政治家《せいじか》です。2022年《ねん》に亡《な》くなった安倍晋三《あべしんぞう》元首相《もとしゅしょう》の祖父《そふ》である岸信介《きしのぶすけ》元首相《もとしゅしょう》の弟《おとうと》で、安倍《あべ》元首相《もとしゅしょう》の大叔父《おおおじ》にあたります。

1974年《ねん》に佐藤首相《さとうしゅしょう》は日本人《にっぽんじん》初《はつ》のノーベル平和賞《へいわしょう》を受賞《じゅしょう》しました。受賞理由《じゅしょうりゆう》は、「太平洋地域《たいへいようちいき》の和解《わかい》と核兵器《かくへいき》の拡散防止《かくさんぼうし》の努力《どりょく》」でした。具体的《ぐたいてき》には、1967年《ねん》、国会《こっかい》で「核兵器《かくへいき》を持《も》たず、作《つく》らず、持《も》ち込《こ》ませず」という、いわゆる非核三原則《ひかくさんげんそく》を提唱《ていしょう》しました。また、1970年《ねん》には核拡散防止条約《かくかくさんぼうしじょうやく》（NPT《エヌピーティー》）に署名《しょめい》しました。

佐藤栄作《さとうえいさく》

ノーベル委員会委員長《いいんかいいいんちょう》は、こう述《の》べています。「日本国民《にっぽんこくみん》は核兵器《かくへいき》に対《たい》してアレルギーになっていると、ときおり言《い》われてきた。この種《しゅ》のアレルギーは健康《けんこう》のあらわれであり、ほかの諸国《しょこく》もこれから教訓《きょうくん》を学《まな》べるかもしれない」。この発言《はつげん》が示《しめ》すとおり、佐藤首相《さとうしゅしょう》の受賞《じゅしょう》は日本国民《にっぽんこくみん》に対《たい》する授章《じゅしょう》といえるでしょう。

また佐藤《さとう》は、1972年《ねん》には沖縄返還《おきなわへんかん》を成《な》し遂《と》げます。しかし、受賞《じゅしょう》には批判《ひはん》もあり、のちに沖縄《おきなわ》への核《かく》の持《も》ち込《こ》みを認《みと》める密約《みつやく》がアメリカとの間《あいだ》で結《むす》ばれていたことが判明《はんめい》しています。

第《だい》4章《しょう》

日《にっ》本《ぽん》周《しゅう》辺《へん》にもある紛《ふん》争《そう》の火《ひ》種《だね》を知《し》っておこう！

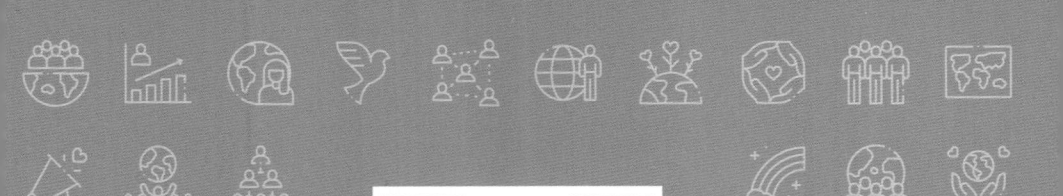

1

日本《にっぽん》も戦争《せんそう》に巻《ま》き込《こ》まれないとはいえない

日本人《にっぽんじん》は戦争《せんそう》の可能性《かのうせい》をどう考《かんが》えている?

Q あなたは、現在《げんざい》の世界《せかい》の情勢《じょうせい》から考《かんが》えて、日本《にっぽん》が戦争《せんそう》を仕《し》かけられたり、戦争《せんそう》に巻《ま》き込《こ》まれたりする危険《きけん》があると思《おも》いますか。

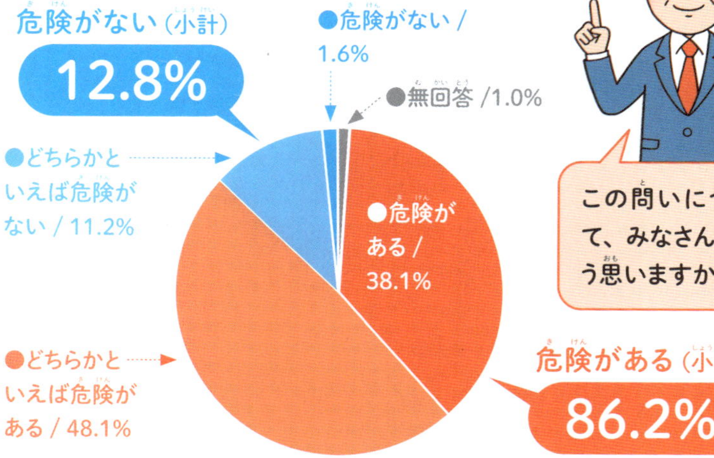

出所：内閣府「自衛隊・防衛問題に関する世論調査（令和4年11月）」

考《かんが》えてみよう

- 日本《にっぽん》が戦争《せんそう》に巻《ま》き込《こ》まれる可能性《かのうせい》についてどう思《おも》う?
- 日本《にっぽん》が有事《ゆうじ》になるのは、どんな事態《じたい》が起《お》きたときだろう?

★戦争《せんそう》する気《き》がなくても攻《せ》め込《こ》まれたら……

すでに述《の》べたとおり、日本周辺《にっぽんしゅうへん》の安全保障環境《あんぜんほしょうかんきょう》はかつてなく厳《きび》しくなっています。戦後《せんご》80年《ねん》にわたって平和《へいわ》を守《まも》り続《つづ》けてきた日本《にっぽん》ですが、左《ひだり》の調査結果《ちょうさけっか》に見《み》られるとおり、国民《こくみん》の不安《ふあん》も増大《ぞうだい》しています。

日本《にっぽん》が平和国家《へいわこっか》として周辺諸国《しゅうへんしょこく》と仲《なか》よくしようとしても、戦争《せんそう》の歴史《れきし》や領土《りょうど》をめぐって、日本《にっぽん》や日本人《にっぽんじん》に対《たい》して悪《わる》い感情《かんじょう》や警戒感《けいかいかん》を持《も》っている国《くに》もあります。

この章《しょう》ではそうした国《くに》との間《あいだ》に存在《そんざい》する問題《もんだい》を取《と》り上《あ》げます。これらの問題《もんだい》を理解《りかい》し、相手《あいて》の主張《しゅちょう》や日本政府《にっぽんせいふ》の立場《たちば》を知《し》ることが外交《がいこう》を通《つう》じた平和的解決《へいわてきかいけつ》の一歩《いっぽ》となるのです。

また、平和《へいわ》は願《ねが》うだけでは十分《じゅうぶん》ではないことは歴史《れきし》が明《あき》らかにしています。他国《たこく》からの侵略《しんりゃく》を防《ふせ》ぐための自衛力《じえいりょく》やアメリカとの同盟《どうめい》も必要《ひつよう》です。しかし、同盟《どうめい》には、アメリカの戦争《せんそう》に巻《ま》き込《こ》まれるのではないかとの不安《ふあん》の声《こえ》もあります。その一方《いっぽう》で、日本《にっぽん》の態度《たいど》いかんでは、アメリカに見捨《みす》てられるとの不安《ふあん》の声《こえ》もあるのです。同盟《どうめい》について、よく考《かんが》え、議論《ぎろん》することが大事《だいじ》です。

戦争《せんそう》に巻《ま》き込《こ》まれる危険《きけん》があると考《かんが》える人《ひと》の割合《わりあい》

DATA

日本《にっぽん》が戦争《せんそう》に巻《ま》き込《こ》まれると考《かんが》える人《ひと》の割合《わりあい》は増加傾向《ぞうかけいこう》にある！

左《ひだり》ページの世論調査《よろんちょうさ》で「危険《きけん》がある」と考《かんが》える人《ひと》の割合《わりあい》は、2009年《ねん》は70％を切《き》っていましたが、増《ふ》える傾向《けいこう》にあります。

出所：内閣府「自衛隊・防衛問題に関する世論調査（令和4年11月）」

日《にち》米《べい》韓《かん》を核《かく》とミサイルで挑発《ちょうはつ》する北朝鮮《きたちょうせん》

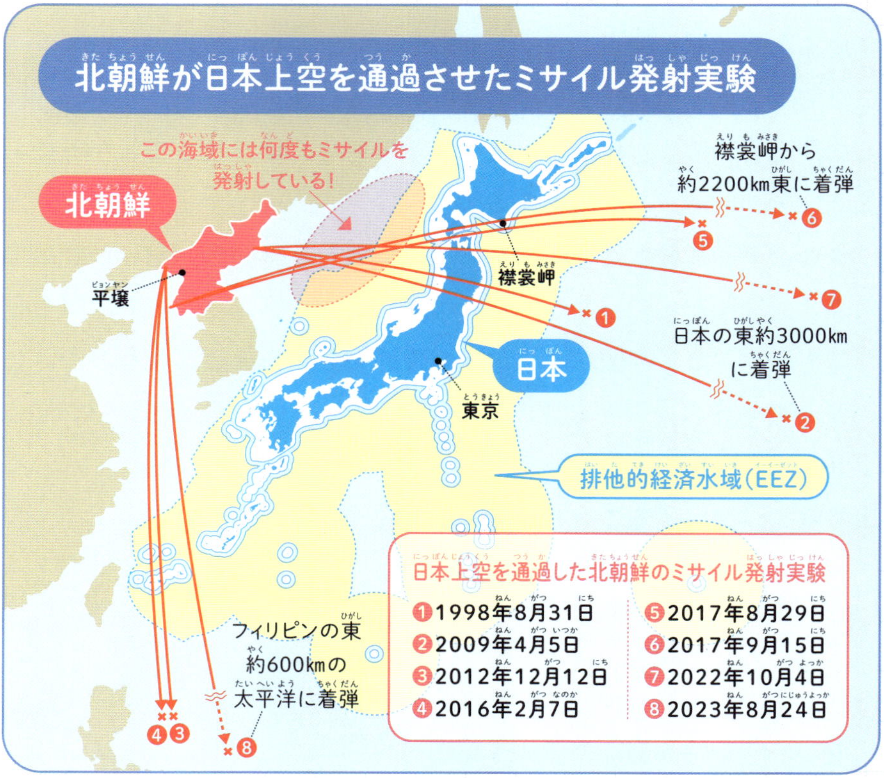

考《かんが》えてみよう

- もし北朝鮮《きたちょうせん》が日本《にっぽん》にミサイルを撃《う》ってきたら、日本《にっぽん》はどう対応《たいおう》すべきだろうか?

★核《かく》ミサイル開発《かいはつ》と挑発《ちょうはつ》行為《こうい》に危機感《ききかん》を持《も》とう

近年《きんねん》、朝鮮民主主義人民共和国《ちょうせんみんしゅしゅぎじんみんきょうわこく》（北朝鮮《きたちょうせん》）は、ひんぱんにミサイル発射実験《はっしゃじっけん》を行《おこな》っています。ミサイルが日本《にっぽん》の方向《ほうこう》に発射《はっしゃ》されると、J《ジェイ》アラート（全国瞬時警報《ぜんこくしゅんじけいほう》システム）によって、必要《ひつよう》な地域《ちいき》の人々《ひとびと》に警報《けいほう》のサイレン音《おと》が流《なが》され、避難《ひなん》の呼《よ》びかけが行《おこな》われています。たとえば、2022年《ねん》には次《つぎ》のような緊急速報《きんきゅうそくほう》メールが配信《はいしん》されています。

《ミサイル発射《はっしゃ》。ミサイル発射《はっしゃ》。北朝鮮《きたちょうせん》からミサイルが発射《はっしゃ》されたものとみられます。建物《たてもの》の中《なか》、又《また》は地下《ちか》に避難《ひなん》してください》

北朝鮮《きたちょうせん》が危険《きけん》なミサイル発射実験《はっしゃじっけん》を行《おこな》うのは、敵視《てきし》する韓国《かんこく》、アメリカ、日本《にっぽん》への挑発《ちょうはつ》や警告《けいこく》、抑止力《よくしりょく》の顕示《けんじ》や国際社会《こくさいしゃかい》への存在感《そんざいかん》のアピール、指導者《しどうしゃ》・金正恩《キム・ジョンウン》に対《たい》する国内的支持《こくないてきしじ》の確保《かくほ》など、さまざまな理由《りゆう》があると考《かんが》えられます。

日本《にっぽん》は北朝鮮《きたちょうせん》の行動《こうどう》を非難《ひなん》し、国際的《こくさいてき》な制裁《せいさい》の強化《きょうか》や日米韓《にちべいかん》の連携《れんけい》強化《きょうか》に努《つと》めてきましたが、有事《ゆうじ》の備《そな》えとして、弾道《だんどう》ミサイル迎撃《げいげき》システムの強化《きょうか》や核《かく》シェルターの整備《せいび》にも努《つと》める必要《ひつよう》があるでしょう。

知《し》っておくべきコトバ

J《ジェイ》アラート（全国瞬時警報《ぜんこくしゅんじけいほう》システム）

大《おお》きな地震《じしん》、津波《つなみ》、火山《かざん》の噴火《ふんか》などのほか、弾道《だんどう》ミサイルの発射《はっしゃ》や大規模《だいきぼ》テロの発生《はっせい》などの有事関連情報《ゆうじかんれんじょうほう》など、国民《こくみん》の命《いのち》に関《かか》わる重大《じゅうだい》な緊急情報《きんきゅうじょうほう》をすばやく伝《つた》えるしくみが「J《ジェイ》アラート（全国瞬時警報《ぜんこくしゅんじけいほう》システム）」です。政府《せいふ》が発表《はっぴょう》した情報《じょうほう》を人工衛星《じんこうえいせい》などを通《つう》じて自治体《じちたい》に送《おく》り、屋外《おくがい》スピーカーやテレビ、スマホの緊急速報《きんきゅうそくほう》メールなどで全国《ぜんこく》の人々《ひとびと》に一斉《いっせい》に知《し》らせます。J《ジェイ》アラートは日本国民《にっぽんこくみん》がすぐに身《み》を守《まも》る行動《こうどう》をとるための大切《たいせつ》なしくみです。みなさんもこれを聞《き》いたら、その指示《しじ》に従《したが》い行動《こうどう》しましょう。

3

中《ちゅう》国《ごく》が領《りょう》有《ゆう》権《けん》を主《しゅ》張《ちょう》する 尖《せん》閣《かく》諸《しょ》島《とう》問《もん》題《だい》

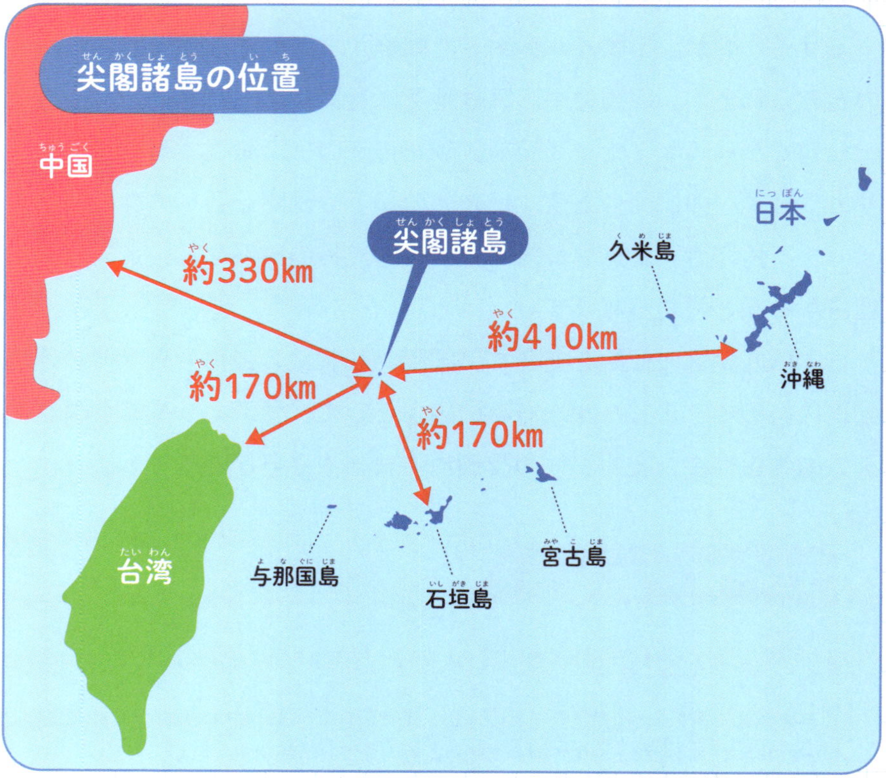

考《かんが》えてみよう

- 尖《せん》閣《かく》諸《しょ》島《とう》周《しゅう》辺《へん》の日《にっ》本《ぽん》の領《りょう》海《かい》内《ない》に中《ちゅう》国《ごく》の船《ふね》がひんぱんに侵《しん》入《にゅう》を繰《く》り返《かえ》していることを知《し》ってた？

★約《やく》50年《ねん》前《まえ》から領有権《りょうゆうけん》を主張《しゅちょう》しはじめた中国《ちゅうごく》

尖閣諸島《せんかくしょとう》は左《ひだり》の地図《ちず》にある小《ちい》さな島々《しまじま》からなり、周辺《しゅうへん》に豊《ゆた》かな漁場《ぎょじょう》や天然《てんねん》ガスなどの海底資源《かいていしげん》があります。日本政府《にっぽんせいふ》は1895年《ねん》に清国《しんこく》の支配《しはい》がおよんでいる痕跡《こんせき》がない無人島《むじんとう》であることを確認《かくにん》したうえで、正式《せいしき》に日本《にっぽん》の領土《りょうど》に編入《へんにゅう》しました。それは国際法上《こくさいほうじょう》も正当《せいとう》な領有権《りょうゆうけん》の取得《しゅとく》です。しかし中国《ちゅうごく》は、石油《せきゆ》が存在《そんざい》していることが明《あき》らかになったあとの1970年代《ねんだい》ごろから自国《じこく》の領土《りょうど》として主張《しゅちょう》しはじめました。近年《きんねん》は中国海警局《ちゅうごくかいけいきょく》（日本《にっぽん》の海上保安庁《かいじょうほあんちょう》に相当《そうとう》する）の船舶《せんぱく》が尖閣諸島周辺《せんかくしょとうしゅうへん》の日本《にっぽん》の領海《りょうかい》にひんぱんに侵入《しんにゅう》し、海上保安庁《かいじょうほあんちょう》の船《ふね》が退去《たいきょ》を求《もと》める事態《じたい》が増《ふ》えています。

しかし、日本政府《にっぽんせいふ》は尖閣諸島《せんかくしょとう》を有効《ゆうこう》に支配《しはい》しており、解決《かいけつ》しなければならない領有権問題《りょうゆうけんもんだい》は、「そもそも存在《そんざい》しない」という立場《たちば》をとっています。また、アメリカは日米安全保障条約《にちべいあんぜんほしょうじょうやく》（119ページ）が尖閣《せんかく》諸島《しょとう》にも適用《てきよう》されるとの見解《けんかい》を明確《めいかく》にしており、それは中国《ちゅうごく》に対《たい》するメッセージとなっています。日本政府《にっぽんせいふ》は引《ひ》き続《つづ》き領土《りょうど》を保全《ほぜん》するために毅然《きぜん》として、かつ冷静《れいせい》に対応《たいおう》していく方針《ほうしん》です。

知《し》っておくべきコトバ

尖閣諸島《せんかくしょとう》

沖縄県石垣市《おきなわけんいしがきし》に所在《しょざい》する、魚釣島《うおつりしま》、北小島《きたこじま》、南小島《みなみこじま》、久場島《くばしま》、大正島《たいしょうとう》、沖《おき》ノ北岩《のきたいわ》、沖《おき》ノ南岩《のみなみいわ》、飛瀬《とびせ》などからなる島々《しまじま》の総称《そうしょう》。最《もっと》も大《おお》きい魚釣島《うおつりじま》の面積《めんせき》は3.81㎢で、かつてはアホウドリの羽毛《うもう》の採取《さいしゅ》や鰹節《かつおぶし》の製造《せいぞう》などを行《おこな》う日本人《にっぽんじん》が200人以上居住《にんいじょうきょじゅう》していました。

1910年《ねん》ごろの魚釣島《うおつりしま》の様子《ようす》

4

日本《にっぽん》と韓国《かんこく》が領有権《りょうゆうけん》を争《あらそ》う 竹島問題《たけしまもんだい》

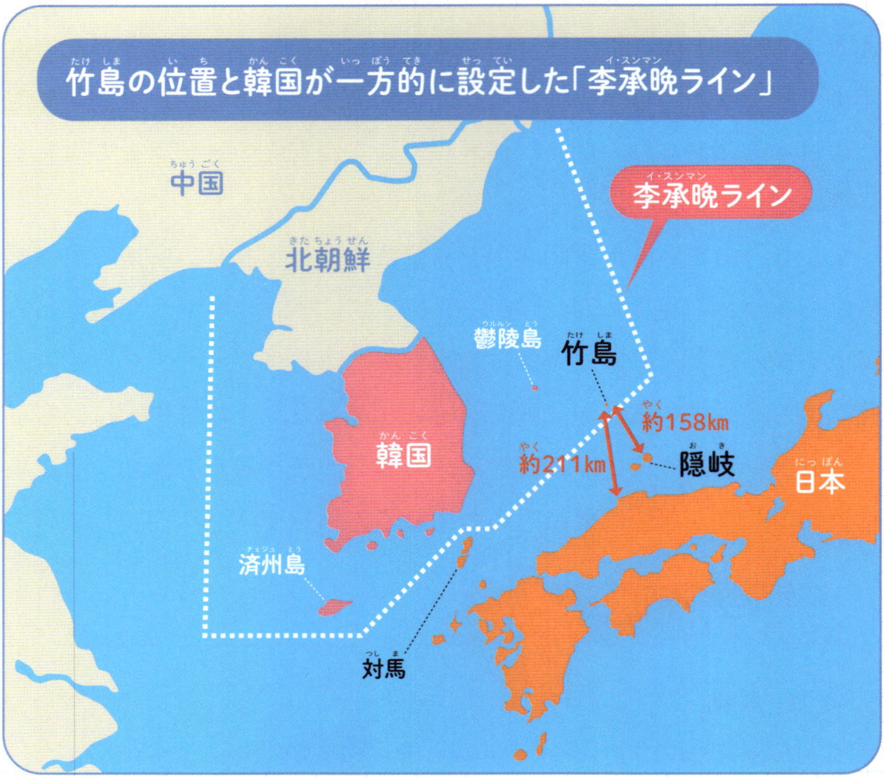

考《かんが》えてみよう

- 韓国《かんこく》の一方的《いっぽうてき》な不法占拠《ふほうせんきょ》をどう思《おも》う？
- あなたは韓国《かんこく》が好《す》き？ 嫌《きら》い？ その理由《りゆう》は？

★韓国《かんこく》が不法占拠《ふほうせんきょ》を続《つづ》ける竹島《たけしま》

日本《にっぽん》と韓国《かんこく》はともにアメリカの同盟国《どうめいこく》であり、北朝鮮《きたちょうせん》の脅威《きょうい》に対処《たいしょ》するための重要《じゅうよう》なパートナー国《こく》です。K-POP《ケーポップ》や韓流《はんりゅう》ドラマは日本《にっぽん》で、日本《にっぽん》のアニメや漫画《まんが》は韓国《かんこく》で人気《にんき》です。観光《かんこう》や文化交流《ぶんかこうりゅう》も活発《かっぱつ》です。

しかし、韓国《かんこく》による竹島《たけしま》の不法占拠《ふほうせんきょ》は、長《なが》く続《つづ》く両国間《りょうこくかん》の紛争《ふんそう》になっています。島根県隠岐郡隠岐《しまねけんおきぐんおき》の島町《しまちょう》に属《ぞく》する竹島《たけしま》は、日本本土《にっぽんほんど》から約《やく》211km離《はな》れた日本海《にほんかい》に位置《いち》し、女島《めじま》（東島《ひがしじま》）と男島《おじま》（西島《にしじま》）、その周辺《しゅうへん》の島々《しまじま》の総称《そうしょう》で、歴史的《れきしてき》にも国際法上《こくさいほうじょう》も日本固有《にっぽんこゆう》の領土《りょうど》です。

ところが、1952年《ねん》1月《がつ》に韓国《かんこく》の李承晩《イ・スンマン》大統領《だいとうりょう》は、国際法《こくさいほう》に反《はん》して一方的《いっぽうてき》に「李承晩《イ・スンマン》ライン」を設定《せってい》し、その内側《うちがわ》の海域《かいいき》への漁業管轄権《ぎょぎょうかんかつけん》を主張《しゅちょう》。竹島《たけしま》を同《どう》ラインの内側《うちがわ》に取《と》り込《こ》み、「独島《ドクト》」と呼《よ》び、領有権《りょうゆうけん》を主張《しゅちょう》しはじめました。

現在《げんざい》は韓国《かんこく》の沿岸警備隊《えんがんけいびたい》が常駐《じょうちゅう》しており、国際法上《こくさいほうじょう》の根拠《こんきょ》がないまま不法占拠《ふほうせんきょ》する状態《じょうたい》が続《つづ》いています。さらに、「独島《ドクト》は我《わ》が領土《りょうど》」という歌《うた》をつくったり、学校教育《がっこうきょういく》やメディアを通《つう》じて「独島《ドクト》は韓国《かんこく》の領土《りょうど》」という国民《こくみん》の領土意識《りょうどいしき》を高《たか》めています。

過去《かこ》に日本《にっぽん》が韓国《かんこく》を植民地《しょくみんち》にしていた歴史《れきし》やナショナリズム（45ページ）がからみ、お互《たが》いの国民感情《こくみんかんじょう》にも影響《えいきょう》を与《あた》えています。日本《にっぽん》は、国際司法裁判所《こくさいしほうさいばんしょ》を通《つう》じた平和的解決《へいわてきかいけつ》を提案《ていあん》してきていますが、韓国側《かんこくがわ》は受《う》け入《い》れていません。

韓国《かんこく》は日本《にっぽん》にとって最《もっと》も近《ちか》い隣国《りんごく》です。朝鮮半島《ちょうせんはんとう》の安定《あんてい》は日本《にっぽん》の安全《あんぜん》にとってきわめて重要《じゅうよう》であり、北朝鮮《きたちょうせん》の脅威《きょうい》が高《たか》まるなか、日米韓《にちべいかん》の連携《れんけい》を中心《ちゅうしん》に安全保障分野《あんぜんほしょうぶんや》での協力《きょうりょく》の重要性《じゅうようせい》も認識《にんしき》されています。この問題《もんだい》が日韓関係全体《にっかんかんけいぜんたい》を損《そこ》なうことのないように冷静《れいせい》に対応《たいおう》していく必要《ひつよう》があるでしょう。

ロシアが不法占拠《ふほうせんきょ》する 北方領土問題《ほっぽうりょうどもんだい》

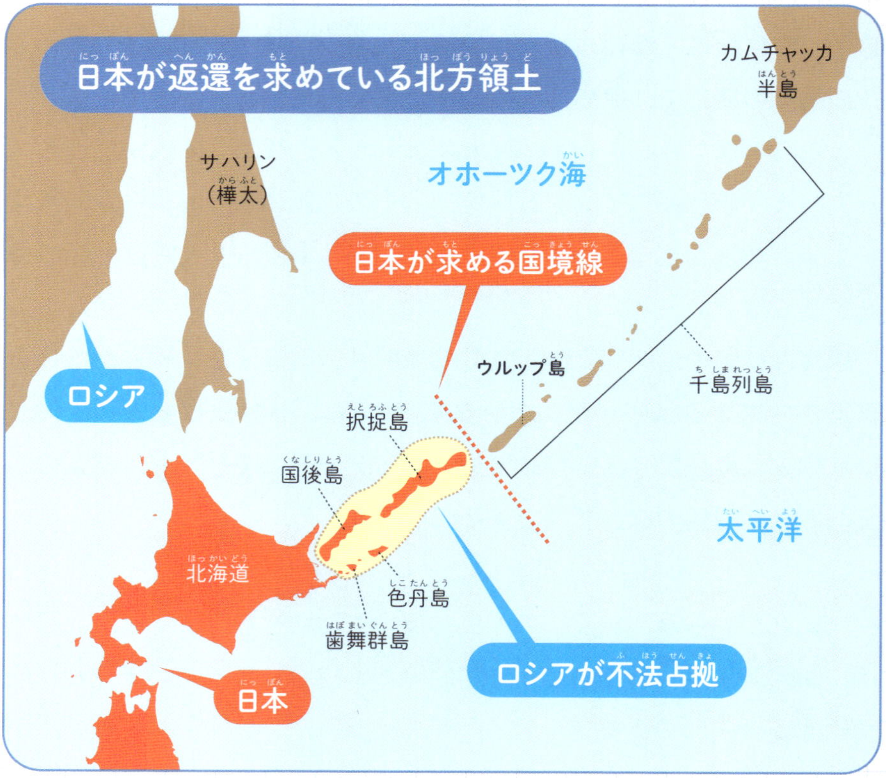

考《かんが》えてみよう

- 北方領土《ほっぽうりょうど》を不法占拠《ふほうせんきょ》されたままにしていいと思《おも》う？
- なぜロシアは北方領土《ほっぽうりょうど》を返還《へんかん》してくれないのだろう？

★ロシアとの平和条約《へいわじょうやく》が未締結《みていけつ》の理由《りゆう》は？

北方四島《ほっぽうよんとう》（択捉島《えとろふとう》、国後島《くなしりとう》、色丹島《しこたんとう》、歯舞群島《はぼまいぐんとう》）は、日本《にっぽん》の北海道《ほっかいどう》の北《きた》に位置《いち》し、豊《ゆた》かな漁場《ぎょじょう》や油田《ゆでん》、ガス田《でん》などの天然資源《てんねんしげん》があることが知《し》られています。かつては日本人《にっぽんじん》が住《す》んでいましたが、第二次世界大戦《だいにじせかいたいせん》の終戦直後《しゅうせんちょくご》にソビエト連邦《れんぽう》（現在《げんざい》のロシア）が占領《せんりょう》しました。

その歴史《れきし》を振《ふ》り返《かえ》ると、1855年《ねん》に日魯《にちろ》（日露《にちろ》）通好条約《つうこうじょうやく》で、当時《とうじ》自然《しぜん》に成立《せいりつ》していた択捉島《えとろふとう》とウルップ島《とう》の間《あいだ》の国境《こっきょう》を確認《かくにん》しました。

日本《にっぽん》は、1951年《ねん》のサンフランシスコ平和条約《へいわじょうやく》で千島列島《ちしまれっとう》の一部《いちぶ》とサハリン（樺太《からふと》）の権利《けんり》を放棄《ほうき》しましたが、北方四島《ほっぽうよんとう》は含《ふく》まれていません。北方四島《ほっぽうよんとう》は、一度《いちど》も外国《がいこく》の領土《りょうど》となったことがない日本固有《にっぽんこゆう》の領土《りょうど》なのです。

そうした立場《たちば》の日本政府《にっぽんせいふ》はソ連《れん》と交渉《こうしょう》し、1956年《ねん》の日《にっ》ソ共同宣言《きょうどうせんげん》では、歯舞諸島《はぼまいしょとう》および色丹島《しこたんとう》については、平和条約締結後《へいわじょうやくていけつご》、日本《にっぽん》に引《ひ》き渡《わた》されることが明記《めいき》されています。しかし、その後《ご》、ソ連《れん》を引《ひ》き継《つ》いだロシアは、近年《きんねん》、第二次世界大戦《だいにじせかいたいせん》の結果《けっか》として、これらの島々《しまじま》がロシアの領土《りょうど》の一部《いちぶ》となったという主張《しゅちょう》を強《つよ》めています。しかし、日《にち》露間《ろかん》には平和条約《へいわじょうやく》がありません。同大戦後《どうたいせんご》の領土問題《りょうどもんだい》の最終的解決《さいしゅうてきかいけつ》はなされておらず、ロシアの主張《しゅちょう》は法的《ほうてき》に正《ただ》しくありません。

ロシアが返還《へんかん》に応《おう》じない理由《りゆう》には安全保障《あんぜんほしょう》も関係《かんけい》しています。もし北方領土《ほっぽうりょうど》が日本《にっぽん》に返還《へんかん》されれば、そこにアメリカが基地《きち》をつくるのではないかと警戒《けいかい》しているのです。また、周辺海域《しゅうへんかいいき》はロシア本土《ほんど》から太平洋《たいへいよう》に出《で》るための重要《じゅうよう》な海路《かいろ》です。加《くわ》えて、北方領土《ほっぽうりょうど》には豊富《ほうふ》な水産物《すいさんぶつ》や天然《てんねん》ガスなどの天然資源《てんねんしげん》があることも返還《へんかん》しない理由《りゆう》でしょう。

なお1855年《ねん》2月《がつ》7日《なのか》は日魯通好条約《にちろつうこうじょうやく》が調印《ちょういん》された日《ひ》であり、この日《ひ》は「北方領土《ほっぽうりょうど》の日《ひ》」に指定《してい》されています。

6

統一《とういつ》をめぐり緊張《きんちょう》する台湾海峡《たいわんかいきょう》

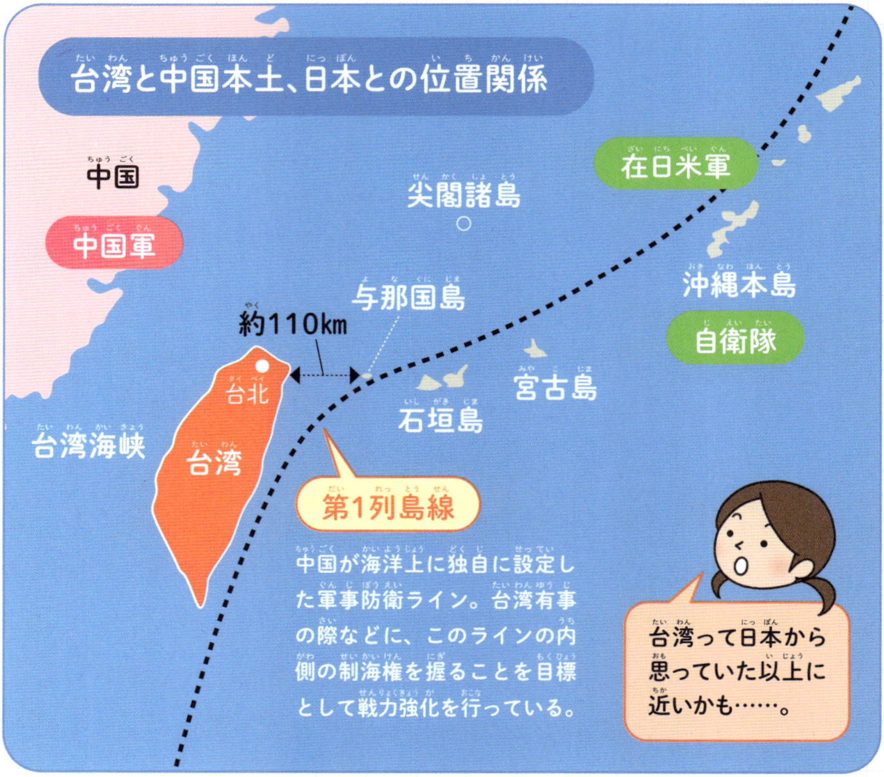

考《かんが》えてみよう

- 地図《ちず》で台湾《たいわん》・沖縄《おきなわ》・中国《ちゅうごく》の位置関係《いちかんけい》を確認《かくにん》しよう！
- 日本《にっぽん》は台湾《たいわん》を国《くに》として認《みと》めていないって知《し》ってた？

★武力統一《ぶりょくとういつ》を排除《はいじょ》しない中国《ちゅうごく》の威圧《いあつ》が高《たか》まる

近年《きんねん》、台湾海峡《たいわんかいきょう》の緊張《きんちょう》が高《たか》まっています。背景《はいけい》には、台湾内政《たいわんないせい》（独立志向《どくりつしこう》のある民進党政権《みんしんとうせいけん》に対《たい》する中国《ちゅうごく》の警戒感《けいかいかん》）や米台関係《べいたいかんけい》の強化《きょうか》、米中対立《べいちゅうたいりつ》の激化《げきか》などがあります。第二次世界大戦後《だいにじせかいたいせんご》、中国《ちゅうごく》では毛沢東《もうたくとう》の共産党《きょうさんとう》が内戦《ないせん》に勝利《しょうり》し、蔣介石《しょうかいせき》の国民党《こくみんとう》は台湾《たいわん》に逃《のが》れました。

中国《ちゅうごく》は「一《ひと》つの中国《ちゅうごく》」の原則《げんそく》の下《もと》、台湾統一《たいわんとういつ》を国家《こっか》の目標《もくひょう》としています。習近平国家主席《しゅうきんぺいこっかしゅせき》は、平和的統一《へいわてきとういつ》の方針《ほうしん》は維持《いじ》しつつも武力行使《ぶりょくこうし》の可能性《かのうせい》も否定《ひてい》しておらず、近年《きんねん》は台湾周辺海域《たいわんしゅうへんかいいき》において軍事活動《ぐんじかつどう》を活発化《かっぱつか》しています。一方《いっぽう》、台湾《たいわん》では自分《じぶん》は「台湾人《たいわんじん》」であると考《かんが》える人《ひと》が圧倒的《あっとうてき》で、現状維持《げんじょういじ》を望《のぞ》む声《こえ》が主流《しゅりゅう》です。

台湾《たいわん》を国《くに》（中華民国《ちゅうかみんこく》）として承認《しょうにん》し、外交関係《がいこうかんけい》を有《ゆう》する国《くに》は世界《せかい》に12 カ国《こく》しかなく、日本《にっぽん》やアメリカなど大多数《だいたすう》の国《くに》は国家《こっか》として承認《しょうにん》していません。しかし、日本《にっぽん》もアメリカも台湾《たいわん》と緊密《きんみつ》な関係《かんけい》を維持《いじ》しており、アメリカは武器供与《ぶききょうよ》を通《つう》じて台湾《たいわん》の防衛《ぼうえい》を支援《しえん》しています。台湾《たいわん》は戦略的位置《せんりゃくてきいち》にあり、半導体産業《はんどうたいさんぎょう》や民主主義《みんしゅしゅぎ》といった観点《かんてん》からも日米《にちべい》にとって重要《じゅうよう》です。「台湾有事《たいわんゆうじ》は日本有事《にっぽんゆうじ》」といわれています。

知《し》っておくべきコトバ

一《ひと》つの中国《ちゅうごく》

中国本土《ちゅうごくほんど》と台湾《たいわん》は「不可分《ふかぶん》の領土《りょうど》」であり、台湾《たいわん》は中華人民共和国《ちゅうかじんみんきょうわこく》の一部《いちぶ》であるというのが、中国政府《ちゅうごくせいふ》の主張《しゅちょう》する「一《ひと》つの中国《ちゅうごく》」原則《げんそく》です。そのため、台湾独立《たいわんどくりつ》の動《うご》きには断固反対《だんこはんたい》し、武力行使《ぶりょくこうし》も排除《はいじょ》しない姿勢《しせい》を見《み》せています。一方《いっぽう》、アメリカは中国《ちゅうごく》は一《ひと》つであり、台湾《たいわん》は中国《ちゅうごく》の一部《いちぶ》であるという中国《ちゅうごく》の立場《たちば》を「認識《にんしき》」するという「一《ひと》つの中国《ちゅうごく》」政策《せいさく》をとってきました。「中華人民共和国《ちゅうかじんみんきょうわこく》」の一部《いちぶ》ではなく「中国《ちゅうごく》の一部《いちぶ》」であり、「承認《しょうにん》」ではなく「認識《にんしき》」であることが中国政府《ちゅうごくせいふ》の原則《げんそく》とは異《こと》なります。

7

中国《ちゅうごく》が人工島化《じんこうとうか》、軍事化《ぐんじか》を強行《きょうこう》する南《みなみ》シナ海問題《かいもんだい》

中国《ちゅうごく》は 2023 年《ねん》 8 月《がつ》にこれまでの独自《どくじ》の境界線《きょうかいせん》であった「九段線《きゅうだんせん》」に加《くわ》えて、台湾東部《たいわんとうぶ》に新《あら》たな破線《はせん》を加《くわ》えて「十段線《じゅうだんせん》」にしました。しかし、南《みなみ》シナ海《かい》は中国《ちゅうごく》の海《うみ》ではありません。歴史的《れきしてき》にも国際法上《こくさいほうじょう》も自由《じゆう》で開《ひら》かれた公海《こうかい》です。

考《かんが》えてみよう

- 中国《ちゅうごく》はなぜ一方的《いっぽうてき》な領有権《りょうゆうけん》を主張《しゅちょう》するのだろう?
- 南《みなみ》シナ海問題《かいもんだい》が日本《にっぽん》とどう関係《かんけい》するか調《しら》べてみて!

★中国《ちゅうごく》が人工島《じんこうとう》をつくり、軍事基地《ぐんじきち》に！

南《みなみ》シナ海《かい》の領有権問題《りょうゆうけんもんだい》は、交通《こうつう》、資源《しげん》、漁業《ぎょぎょう》、軍事戦略《ぐんじせんりゃく》、環境《かんきょう》などが多岐《たき》にわたっています。たとえば、南《みなみ》シナ海南部《かいなんぶ》の「南沙《なんさ》（スプラトリー）諸島《しょとう》」では、岩礁《がんしょう》を埋《う》め立《た》てた人工島《じんこうとう》の軍事拠点化《ぐんじきょてんか》が進《すす》みましたが、その規模《きぼ》において中国《ちゅうごく》が突出《とっしゅつ》しています。中国《ちゅうごく》は、一方的《いっぽうてき》に「九段線《きゅうだんせん》」さらには「十段線《じゅうだんせん》」を地図上《ちずじょう》に引《ひ》き、その内側《うちがわ》の海域《かいいき》（南《みなみ》シナ海《かい》の約《やく》90%）での中国《ちゅうごく》の歴史的権利《れきしてきけんり》を主張《しゅちょう》しています。2016年《ねん》のハーグ常設仲裁裁判所《じょうせつちゅうさいさいばんしょ》は、それが国際法上《こくさいほうじょう》の根拠《こんきょ》を持《も》たないとの裁定《さいてい》を下《くだ》しましたが、中国政府《ちゅうごくせいふ》はその受《う》け入《い》れを拒否《きょひ》しました。領有権《りょうゆうけん》が対立《たいりつ》する現場海域《げんばかいいき》では、中国海警局《ちゅうごくかいけいきょく》や民兵《みんぺい》の船《ふね》がフィリピンの船《ふね》に放水《ほうすい》や体当《たいあ》たりをするなど、緊張《きんちょう》が高《たか》まっています。アメリカはこうした中国《ちゅうごく》の「力《ちから》による一方的《いっぽうてき》な現状変更《げんじょうへんこう》」に対《たい》し、中国《ちゅうごく》の人工島《じんこうとう》の周辺海域《しゅうへんかいいき》に米海軍艦船《べいかいぐんかんせん》を派遣《はけん》する「航行《こうこう》の自由作戦《じゆうさくせん》」を展開《てんかい》しています。

日本《にっぽん》の石油《せきゆ》の8割《わり》は、中東《ちゅうとう》から南《みなみ》シナ海《かい》を通《とお》って輸送《ゆそう》されており、この海域《かいいき》の安定《あんてい》は日本《にっぽん》にとって死活的《しかつてき》に重要《じゅうよう》です。法《ほう》の支配《しはい》を訴《うった》え、周辺国支援《しゅうへんこくしえん》やパートナー諸国《しょこく》との協力《きょうりょく》を強化《きょうか》する必要《ひつよう》があります。

知《し》っておくべきコトバ

南沙《なんさ》（スプラトリー）諸島《しょとう》

南《みなみ》シナ海南部《かいなんぶ》にある諸島《しょとう》。豊富《ほうふ》な水産資源《すいさんしげん》と海底《かいてい》油田《ゆでん》があるほか、海上交通路《かいじょうこうつうろ》・軍事的拠点《ぐんじてききょてん》として重要《じゅうよう》なため、中国《ちゅうごく》、台湾《たいわん》、ベトナム、フィリピン、マレーシア、ブルネイが領有権《りょうゆうけん》を主張《しゅちょう》しています。こうした主張《しゅちょう》の対立《たいりつ》は、国連海洋法条約《こくれんかいようほうじょうやく》に従《したが》って平和的《へいわてき》に解決《かいけつ》されるべきです。

中国《ちゅうごく》がつくった人工島《じんこうとう》の軍事拠点《ぐんじきょてん》

COLUMN：知《し》っておきたいノーベル平和賞受賞者《へいわしょうじゅしょうしゃ》④

マザー・テレサ（1910年《ねん》–1997年《ねん》）

「マザー」は修道会《しゅうどうかい》のリーダーへの敬称《けいしょう》、「テレサ」は彼女《かのじょ》が敬愛《けいあい》したカトリック教会《きょうかい》の聖人《せいじん》。貧困《ひんこん》や病《やまい》に苦《くる》しむ人々《ひとびと》を救済《きゅうさい》する活動《かつどう》に生涯《しょうがい》を捧《ささ》げ、世界中《せかいじゅう》の人々《ひとびと》に共感《きょうかん》を与《あた》えました。その遺志《いし》を引《ひ》き継《つ》いで活動《かつどう》する聖職者《せいしょくしゃ》は世界《せかい》100カ国《こく》におよそ4000人《にん》いるともいわれます。

1979年《ねん》にその活動《かつどう》が認《みと》められてノーベル平和賞《へいわしょう》を受賞《じゅしょう》しました。その際《さい》、「私《わたし》は受賞《じゅしょう》に値《あたい》しないが、世界《せかい》の最《もっと》も貧《まず》しい人々《ひとびと》に代《か》わって賞《しょう》を受《う》けました」とコメントしています。また、そのときのインタビューで、「世界平和《せかいへいわ》のためにどんなことをしたらいいですか」と尋《たず》ねられ、「家《いえ》に帰《かえ》って家族《かぞく》を愛《あい》してあげてください」と答《こた》えています。

彼女《かのじょ》は、「あなたはあなたであればいい。ほかのだれかと比《くら》べる必要《ひつよう》なんてない」「大切《たいせつ》なのは、どれだけ多《おお》くをしたかではなく、どれだけ心《こころ》を込《こ》めたかです」といった、心《こころ》に響《ひび》くたくさんの言葉《ことば》を残《のこ》しています。

マザー・テレサの著書《ちょしょ》や彼女《かのじょ》について書《か》かれた本《ほん》や描《えが》かれた映画《えいが》などを読《よ》んだり観《み》たりして、その感想《かんそう》を友《とも》だちや家族《かぞく》と語《かた》ってみてください。

マザー・テレサ

第《だい》5章《しょう》

平《へい》和《わ》のために努《ど》力《りょく》する人《ひと》々《びと》や組《そ》織《しき》を知《し》る

1

平和《へいわ》の維持《いじ》を役割《やくわり》とする国際連合《こくさいれんごう》を知《し》ろう！

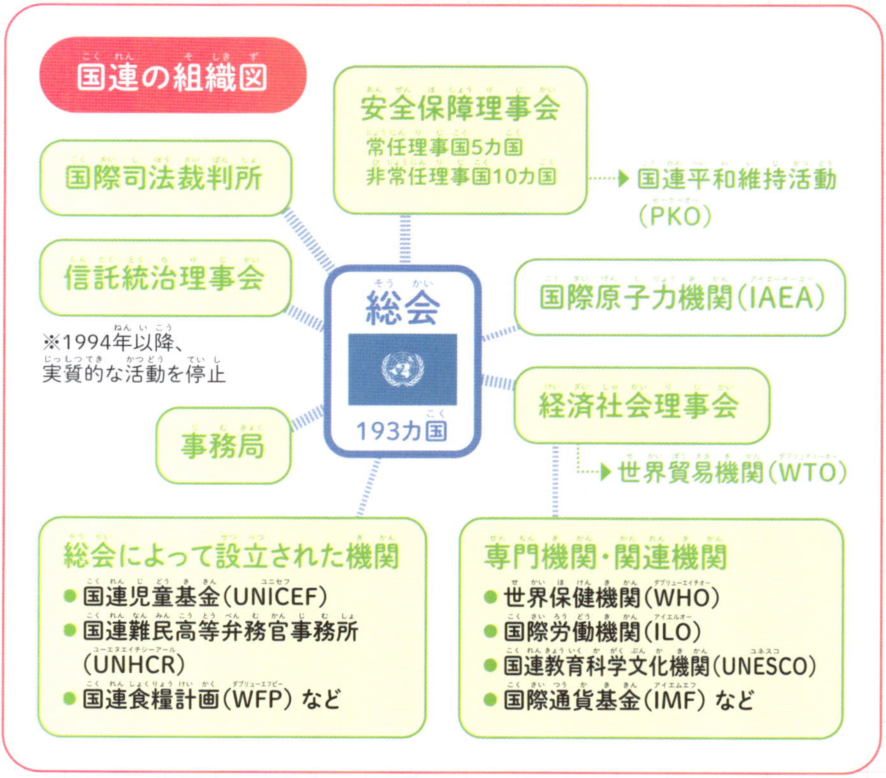

考《かんが》えてみよう

- 知《し》っていたり、聞《き》いたことがある機関《きかん》はあった？
- それぞれの機関《きかん》の役割《やくわり》を調《しら》べてみよう！

★国連《こくれん》には6つの主要機関《しゅようきかん》がある

国際社会《こくさいしゃかい》は、紛争《ふんそう》やテロ、貧困《ひんこん》、難民《なんみん》、気候変動《きこうへんどう》など、さまざまな課題《かだい》に直面《ちょくめん》しており、こうした課題解決《かだいかいけつ》に取《と》り組《く》む国際機関《こくさいきかん》が国際連《こくさいれん》合《ごう》（以下《いか》、国連《こくれん》）です。日本《にっぽん》は、1956年《ねん》に80番目《ばんめ》の加盟国《かめいこく》となりました。国連《こくれん》には2025年《ねん》5月現在《がつげんざい》193カ国《こく》が加盟《かめい》しています。

国連《こくれん》の前身《ぜんしん》は第一次世界大戦後《だいいちじせかいたいせんご》の1920年《ねん》に設立《せつりつ》された国際連盟《こくさいれんめい》です。日本《にっぽん》はその常任理事国《じょうにんりじこく》でしたが、1931年《ねん》の満州事変《まんしゅうじへん》を契機《けいき》に国《こく》際連盟総会《さいれんめいそうかい》で日本軍《にっぽんぐん》の撤退《てったい》を求《もと》める決議《けつぎ》が採択《さいたく》されると脱退《だったい》しました。国際連合《こくさいれんごう》が1945年《ねん》に設立《せつりつ》されると、その役割《やくわり》を終《お》えた国際連盟《こくさいれんめい》は1946年《ねん》に解散《かいさん》しました。

国連《こくれん》には総会《そうかい》、安全保障理事会《あんぜんほしょうりじかい》（安保理《あんぽり》）、経済社会理事会《けいざいしゃかいりじかい》、信託《しんたく》統治理事会《とうちりじかい》、国際司法裁判所《こくさいしほうさいばんしょ》、事務局《じむきょく》の6つの主要機関《しゅようきかん》と、世界保《せかいほ》健機関《けんきかん》（WHO《ダブリューエイチオー》）など15の専門機関《せんもんきかん》があります。このほかにも世界《せかい》中《じゅう》の難民《なんみん》、国内避難民《こくないひなんみん》などを保護《ほご》・支援《しえん》する国連難民高等弁務官事務《こくれんなんみんこうとうべんむかんじむ》所《しょ》（UNHCR《ユーエヌエイチシーアール》）や、こどもたちの健康《けんこう》、栄養《えいよう》、教育《きょういく》、保護《ほご》に関《かん》する取《と》り組《く》みを行《おこな》う国連児童基金《こくれんじどうききん》（UNICEF《ユニセフ》）のような下部組織《かぶそしき》もあります。

知《し》っておくべきコトバ

国連総会《こくれんそうかい》

国連《こくれん》を代表《だいひょう》する審議機関《しんぎきかん》で、毎年《まいとし》9月中旬《がつちゅうじゅん》の各《かっ》国代表《こくだいひょう》による一般討論演説《いっぱんとうろんえんぜつ》から始《はじ》まります。15カ国《こく》しか参加《さんか》できない安全保障理事会《あんぜんほしょうりじかい》とは異《こと》なり、193カ国《こく》すべてが平等《びょうどう》の資格《しかく》で参加《さんか》します。ここでは、世界《せかい》の平和《へいわ》と安全《あんぜん》の維持《いじ》に関《かん》する勧《かん》告《こく》、新加盟国《しんかめいこく》の承認《しょうにん》などが審議《しんぎ》されます。

国連総会《こくれんそうかい》ホール

2

国連《こくれん》の目的《もくてき》と役割《やくわり》とは？

国連憲章《こくれんけんしょう》が定《さだ》める国連《こくれん》の4つの目的《もくてき》

1. 国際《こくさい》の平和《へいわ》と安全《あんぜん》を維持《いじ》すること。
2. 人民《じんみん》の同権《どうけん》および自決《じけつ》の原則《げんそく》の尊重《そんちょう》に基礎《きそ》をおく諸国間《しょこくかん》の友好関係《ゆうこうかんけい》を発展《はってん》させること。
3. 経済的《けいざいてき》、社会的《しゃかいてき》、文化的《ぶんかてき》または人道的性質《じんどうてきせいしつ》を有《ゆう》する国際問題《こくさいもんだい》を解決《かいけつ》し、かつ人権《じんけん》および基本的自由《きほんてきじゆう》の尊重《そんちょう》を促進《そくしん》すべく国際協力《こくさいきょうりょく》を達成《たっせい》すること。
4. これらの共通《きょうつう》の目的《もくてき》を達成《たっせい》するにあたって諸国《しょこく》の行動《こうどう》を調和《ちょうわ》するための中心《ちゅうしん》となること。

これらの目的《もくてき》が達成《たっせい》されれば、世界《せかい》はきっと平和《へいわ》になるわ！

考《かんが》えてみよう

- 国連《こくれん》がどんな目的《もくてき》で設立《せつりつ》されたか知《し》ってた？
- 現在《げんざい》の国連《こくれん》は十分《じゅうぶん》に機能《きのう》しているだろうか？

★さまざまな問題《もんだい》の解決《かいけつ》は「平和《へいわ》」が大前提《だいぜんてい》

国際連盟《こくさいれんめい》は、アメリカが連邦議会《れんぽうぎかい》の反対《はんたい》により参加《さんか》できなかったことや、日独伊《にちどくい》といった常任理事国《じょうにんりじこく》の侵略行為《しんりゃくこうい》に効果的《こうかてき》な対応《たいおう》がとれなかったことから、第二次世界大戦《だいにじせかいたいせん》を防《ふせ》ぐことができませんでした。

一方《いっぽう》、国連《こくれん》はアメリカをはじめとする連合国《れんごうこく》（United《ユナイテッド》 Nations《ネーションズ》: 日《にっ》本《ぽん》は「国際連合《こくさいれんごう》」と訳《やく》す）の 51 カ国《こく》が原加盟国《げんかめいこく》となり、集団安全保《しゅうだんあんぜんほ》障《しょう》(93 ページ)による平和維持《へいわいじ》に役割《やくわり》を果《は》たすことが期待《きたい》されました。しかし、冷戦《れいせん》の始《はじ》まりによる米《べい》ソの対立《たいりつ》によって十分役割《じゅうぶんやくわり》を果《は》たしてきたとはいえません。

国連《こくれん》には左《ひだり》ページのように 4 つの目的《もくてき》がありますが、設立《せつりつ》の経緯《けいい》を考《かんが》えると、「国際《こくさい》の平和《へいわ》と安全《あんぜん》を維持《いじ》すること」が最《もっと》も重要《じゅうよう》な目的《もくてき》といえるでしょう。

日本《にっぽん》は平和《へいわ》と安全《あんぜん》、開発《かいはつ》、人権《じんけん》、法《ほう》の支配《しはい》など、各分野《かくぶんや》で国連《こくれん》の活《かつ》動《どう》に協力《きょうりょく》し、財政的《ざいせいてき》・人的《じんてき》に貢献《こうけん》してきました。安保理《あんぽり》の非常任理事《ひじょうにんりじ》国《こく》（92 ページ）を最多《さいた》の 12 回務《かいつと》めています。核兵器《かくへいき》を持《も》たない日《にっ》本《ぽん》が世界平和《せかいへいわ》にどう貢献《こうけん》できるか、知恵《ちえ》をしぼる必要《ひつよう》があるでしょう。

知《し》っておくべきコトバ

PKO《ピーケーオー》(国連平和維持活動《こくれんへいわいじかつどう》)

国連《こくれん》が紛争《ふんそう》の再発《さいはつ》を防《ふせ》ぎ、平和《へいわ》を守《まも》るために行《おこな》う活動《かつどう》が PKO《ピーケーオー》(国連平和維持活動《こくれんへいわいじかつどう》) です。日本《にっぽん》もその一員《いちいん》として責任《せきにん》を果《は》たしています。停戦《ていせん》の監視《かんし》や選挙支援《せんきょしえん》、人道支援《じんどうしえん》などを行《おこな》います。日本《にっぽん》は PKO《ピーケーオー》 協力法《きょうりょくほう》に基《もと》づき、自衛隊《じえいたい》をカンボジア、モザンビーク、ハイチ、南《みなみ》スーダンなどに派遣《はけん》してきました。派遣《はけん》には「停戦合意《ていせんごうい》があること」「紛争当事《ふんそうとうじ》者《しゃ》の同意《どうい》」「中立《ちゅうりつ》の立場《たちば》」「条件《じょうけん》が守《まも》られなければ、すぐに撤収《てっしゅう》できる」「武器《ぶき》の使用《しよう》は必要最小限《ひつようさいしょうげん》にとどめる」という 5 つの原則《げんそく》を守《まも》る必要《ひつよう》があります。

3

国連《こくれん》の安全保障理事会《あんぜんほしょうりじかい》について知《し》ろう

国連《こくれん》の常任理事国《じょうにんりじこく》と非常任理事国《ひじょうにんりじこく》（2025年《ねん》3月現在《がつげんざい》）

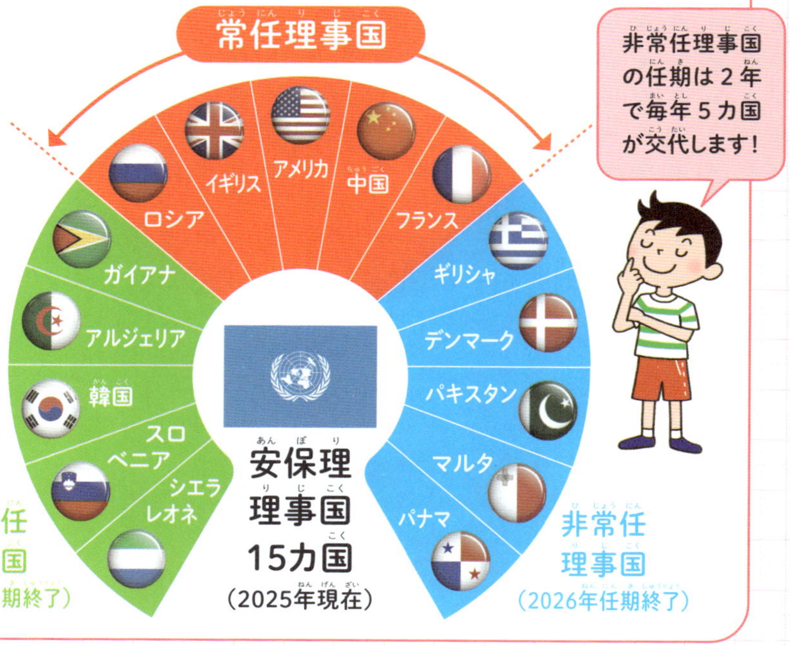

考《かんが》えてみよう

- 国連安保理《こくれんあんぽり》の常任理事国《じょうにんりじこく》の拒否権《きょひけん》は必要《ひつよう》だと思《おも》う?
- 常任理事国《じょうにんりじこく》ロシアが隣国《りんごく》を侵略《しんりゃく》したことをどう思《おも》う?

★国連安保理《こくれんあんぽり》は常任理事国《じょうにんりじこく》の権限《けんげん》が大《おお》きい

　国連《こくれん》の「安全保障理事会《あんぜんほしょうりじかい》（安保理《あんぽり》）」は、世界《せかい》の平和《へいわ》と安全《あんぜん》を守《まも》るために重要《じゅうよう》な役割《やくわり》を果《は》たす機関《きかん》です。第二次世界大戦《だいにじせかいたいせん》の戦勝国《せんしょうこく》であるアメリカ、ロシア、中国《ちゅうごく》、フランス、イギリスの5カ国《こく》が「常任理《じょうにんり》事国《じこく》」として名《な》を連《つら》ね、これに2年《ねん》ごとに選《えら》ばれる10カ国《こく》の「非常《ひじょう》任理事国《にんりじこく》」を加《くわ》えた15カ国《こく》で構成《こうせい》されています。

　安保理《あんぽり》のおもな役割《やくわり》は「国際紛争《こくさいふんそう》や脅威《きょうい》に対処《たいしょ》するための措置《そち》を決《けつ》定《てい》すること」「平和維持活動《へいわいじかつどう》の遂行《すいこう》や紛争解決《ふんそうかいけつ》の支援《しえん》」「世界《せかい》の安全保《あんぜんほ》障《しょう》に関《かん》する問題《もんだい》について議論《ぎろん》し、提案《ていあん》を行《おこな》うこと」です。その中心的《ちゅうしんてき》な考《かんが》え方《かた》は「集団安全保障《しゅうだんあんぜんほしょう》」といわれます。集団《しゅうだん》に属《ぞく》するメンバーがほかのメンバーに対《たい》し、自衛権以外《じえいけんいがい》の武力行使《ぶりょくこうし》を行《おこな》った場合《ばあい》に、それ以外《いがい》のすべてのメンバーが一致団結《いっちだんけつ》して制裁《せいさい》や強制行動《きょうせいこうどう》を行《おこな》うことで集団《しゅうだん》の平和《へいわ》と安全《あんぜん》を守《まも》るシステムです。これは国際連盟《こくさいれんめい》でも採用《さいよう》されましたが、うまく機能《きのう》しませんでした。国連《こくれん》をどう強化《きょうか》していくか、改革《かいかく》も求《もと》められています。日本《にっぽん》は安保理《あんぽり》の拡大《かくだい》を含《ふく》む改革《かいかく》を提唱《ていしょう》してきました。その原因《げんいん》については次《つぎ》のページで説明《せつめい》しましょう。

知《し》っておくべきコトバ

安保理改革《あんぽりかいかく》

日本《にっぽん》は安保理《あんぽり》の代表性《だいひょうせい》と実効性《じっこうせい》を高《たか》めるため、安《あん》保理《ぼり》（常任《じょうにん》・非常任双方《ひじょうにんそうほう》）の拡大《かくだい》を求《もと》めてきました。新《あら》たな常任理事国《じょうにんりじこく》としては、アジアから日本《にっぽん》とインド、欧州《おうしゅう》からドイツ、中南米《ちゅうなんべい》からブラジル、アフリカから1国《こく》（一定期間《いっていきかん》でのローテーション）を加《くわ》える案《あん》（拒否権《きょひけん》は持《も》たない）があります。

国連安全保障理事会《こくれんあんぜんほしょうりじかい》の会議場《かいぎじょう》

4

国連《こくれん》の力《ちから》にも限界《げんかい》がある

安保理《あんぽり》で拒否権《きょひけん》が行使《こうし》された例《れい》

年月日《ねんがっぴ》	決議案《けつぎあん》を 提案《ていあん》した国《くに》	拒否権《きょひけん》を 行使《こうし》した国《くに》	決議案《けつぎあん》
2022年《ねん》 2月《がつ》25日《にち》	アメリカ など	ロシア	ロシアの軍事侵攻《ぐんじしんこう》に強《つよ》い懸念《けねん》を示《しめ》し、ウクライナの主《しゅ》権《けん》と領土《りょうど》の一体性《いったいせい》を確認《かくにん》し、ロシアに即時撤退《そくじてったい》を要求《ようきゅう》
2023年《ねん》 10月《がつ》18日《にち》	ブラジル	アメリカ	ガザ戦闘《せんとう》の「人道的《じんどうてき》な中断《ちゅうだん》」を要求《ようきゅう》(アメリカは、イスラエルの自衛権《じえいけん》への言及《げんきゅう》がないと反対《はんたい》)
2023年《ねん》 12月《がつ》8日《ようか》	UAE《ユーエーイー》	アメリカ	ガザ戦闘《せんとう》の人道的《じんどうてき》な即時停戦《そくじていせん》を要求《ようきゅう》 (アメリカは無条件停戦《むじょうけんていせん》に反対《はんたい》)
2024年《ねん》 2月《がつ》20日《はつか》	アルジェリア	アメリカ	ガザ地区《ちく》での即時停戦《そくじていせん》を求《もと》める
2024年《ねん》 3月《がつ》22日《にち》	アメリカ	ロシア、 中国《ちゅうごく》	ガザ地区《ちく》で人質《ひとじち》の解放《かいほう》をともなう「約《やく》6週間《しゅうかん》の即《そく》時《じ》かつ持続的《じぞくてき》な停戦《ていせん》が不可欠《ふかけつ》」とする
2024年《ねん》 3月《がつ》28日《にち》	アメリカ	ロシア	北朝鮮制裁決議《きたちょうせんせいさいけつぎ》の履行状況《りこうじょうきょう》を調《しら》べる専門家《せんもんか》パネルの任期延長《にんきえんちょう》を明記《めいき》
2024年《ねん》 4月《がつ》24日《にじゅうよっか》	アメリカ 日本《にっぽん》など	ロシア	宇宙空間《うちゅうくうかん》での軍拡競争《ぐんかくきょうそう》を阻止《そし》する

出所:国連ホームページ

考《かんが》えてみよう

- 常任理事国《じょうにんりじこく》のロシアが戦争《せんそう》していることをどう思《おも》う?
- 五大国《ごたいこく》は拒否権《きょひけん》を持《も》ち続《つづ》けるべきだろうか?

★国連《こくれん》の決定《けってい》は加盟国《かめいこく》を拘束《こうそく》するのだろうか？

　国内《こくない》で法律《ほうりつ》違反《いはん》をすれば警察《けいさつ》に逮捕《たいほ》されたり、裁判《さいばん》にかけられたりします。では国家《こっか》が違反《いはん》をしたら、国連《こくれん》は取《と》り締《し》まれるのでしょうか。

　国連総会《こくれんそうかい》で決《き》まったことは、加盟国《かめいこく》に対《たい》する法的拘束力《ほうてきこうそくりょく》はありません。あくまで加盟国《かめいこく》に協力《きょうりょく》をお願《ねが》いするだけです。実行《じっこう》するか否《いな》かは基本的《きほんてき》に各国《かっこく》の自主的《じしゅてき》な判断《はんだん》に委《ゆだ》ねられています。

　一方《いっぽう》、安保理《あんぽり》の決議《けつぎ》には、国連憲章第《こくれんけんしょうだい》25条《じょう》（国連《こくれん》加盟国《かめいこく》は安保理《あんぽり》の決定《けってい》を履行《りこう》することに同意《どうい》する）により、法的拘束力《ほうてきこうそくりょく》があります。しかし、常任理事国《じょうにんりじこく》（5カ国《こく》）のうち1国《こく》でも反対《はんたい》すれば（つまり拒否権《きょひけん》を行使《こうし》すれば）決議《けつぎ》は採択《さいたく》されません。たとえば、ウクライナへ侵攻《しんこう》したロシアに対《たい》し、即時撤退《そくじてったい》を求《もと》める決議案《けつぎあん》が提出《ていしゅつ》されましたが、ロシアが拒否権《きょひけん》を使《つか》ったため、決議《けつぎ》は成立《せいりつ》しませんでした（左《ひだり》ページ表参照《ひょうさんしょう》）。「国連《こくれん》の役割《やくわり》や力《ちから》には限界《げんかい》がある」と言《い》わざるを得《え》ません。拒否権《きょひけん》を制限《せいげん》すべきだとの意見《いけん》もありますが、拒否権《きょひけん》を持《も》つ大国《たいこく》がその意見《いけん》に賛成《さんせい》することはまずないでしょう。国連《こくれん》は不完全《ふかんぜん》な国際社会《こくさいしゃかい》を反映《はんえい》しているのです。

知《し》っておくべきコトバ

拒否権《きょひけん》

国連安保理《こくれんあんぽり》の常任理事国《じょうにんりじこく》（アメリカ、ロシア、中国《ちゅうごく》、フランス、イギリス）が持《も》つ特《とっ》権《けん》。国連憲章第《こくれんけんしょうだい》27条《じょう》では、手続事項《てつづきじこう》を除《のぞ》くすべての事項《じこう》に関《かん》する安保理《あんぽり》の決定《けってい》は、常任理事国《じょうにんりじこく》の1カ国《こく》が反対《はんたい》した場合《ばあい》には成立《せいりつ》しないとされています。冷戦中《れいせんちゅう》、ソ連《れん》とアメリカが互《たが》いに拒否権《きょひけん》を応酬《おうしゅう》し、安保理《あんぽり》は事実上《じじつじょう》、機能麻痺《きのうまひ》に陥《おちい》りました。冷戦終《れいせんしゅう》結後《けつご》の米《べい》ソ協調《きょうちょう》の時期《じき》に、クウェートを侵略《しんりゃく》したイラクに対《たい》し、米《べい》ソが提案国《ていあんこく》となる決議《けつぎ》が採択《さいたく》され、多国籍軍《たこくせきぐん》が組織《そしき》されましたが、これはきわめて珍《めずら》しいケースです。

5

「永世中立国《えいせいちゅうりつこく》」は どこの国《くに》?

世界《せかい》に3カ国《こく》ある永世中立国《えいせいちゅうりつこく》

永世中立国《えいせいちゅうりつこく》

▶ 条約《じょうやく》などによって他国《たこく》から中立国《ちゅうりつこく》の地位《ちい》を認《みと》められた国《くに》

スイス　オーストリア　トルクメニスタン

フィンランドとスウェーデンは、ロシアのウクライナ侵攻後《しんこうご》に中立《ちゅうりつ》では国《くに》は守《まも》れないと痛感《つうかん》し、中立政策《ちゅうりつせいさく》を放棄《ほうき》してNATO《ナトー》に加盟《かめい》したんだって!

中立《ちゅうりつ》を宣言《せんげん》したにとどまる国《くに》

▶ 外交《がいこう》・軍事的《ぐんじてき》に中立的《ちゅうりつてき》な立場《たちば》をとる「中立主義国《ちゅうりつしゅぎこく》」

コスタリカ　ラオス　カンボジア　モルドバ　リヒテンシュタイン

考《かんが》えてみよう

● 2023年《ねん》にスウェーデンとフィンランドが中立政策《ちゅうりつせいさく》をやめてNATO《ナトー》に加盟《かめい》した理由《りゆう》を調《しら》べてみて!

★中立《ちゅうりつ》は「戦争《せんそう》をしない」という意味《いみ》ではない

「永世中立国《えいせいちゅうりつこく》」とは、自衛以外《じえいいがい》の戦争《せんそう》を行《おこな》わず、いかなる戦争《せんそう》に対《たい》しても必《かなら》ず中立《ちゅうりつ》を貫《つらぬ》く国家《こっか》です。「永世《えいせい》」には「永遠《えいえん》に」という意味《いみ》は含《ふく》まれておらず、中立《ちゅうりつ》を一方的《いっぽうてき》に放棄《ほうき》することも可能《かのう》です。中立条約《ちゅうりつじょうやく》締結国《ていけつこく》は中立国《ちゅうりつこく》の独立《どくりつ》と領土保全《りょうどほぜん》を尊重《そんちょう》し、第三国《だいさんごく》による中立国侵略《ちゅうりつこくしんりゃく》には武力《ぶりょく》によってこれを排除《はいじょ》する義務《ぎむ》があります。

現在《げんざい》、永世中立国《えいせいちゅうりつこく》として国際社会《こくさいしゃかい》から認《みと》められているのはスイス、オーストリア、トルクメニスタンの3カ国《こく》のみです。

永世中立国《えいせいちゅうりつこく》は非武装《ひぶそう》を意味《いみ》するものではありません。スイスは憲法《けんぽう》で軍隊保有《ぐんたいほゆう》と兵役年齢《へいえきねんれい》に達《たっ》するすべての男子《だんし》を徴兵《ちょうへい》する国民皆兵制《こくみんかいへいせい》を明記《めいき》しています。また、国民《こくみん》の住宅《じゅうたく》には核《かく》シェルターの整備《せいび》が義務《ぎむ》づけられています。

このほかに永世中立国《えいせいちゅうりつこく》ではないものの、左《ひだり》ページに挙《あ》げたような政《せい》策《さく》として中立《ちゅうりつ》を宣言《せんげん》している国《くに》もあります。

ちなみに、日本《にっぽん》はアメリカと同盟関係《どうめいかんけい》にあるため、中立国《ちゅうりつこく》ではありません。

知《し》っておくべきコトバ

NATO《ナトー》（北大西洋条約機構《きたたいせいようじょうやくきこう》）

1949年《ねん》、ソ連《れん》の脅威《きょうい》に対抗《たいこう》するためアメリカ主導《しゅどう》で12カ国《こく》が設立《せつりつ》した軍事同盟《ぐんじどうめい》。1955年《ねん》、ソ連《れん》を中心《ちゅうしん》とする東側諸国《ひがしがわしょこく》はNATO《ナトー》に対抗《たいこう》してワルシャワ条約機構《じょうやくきこう》を設立《せつりつ》しました。冷戦終結後《れいせんしゅうけつご》の旧東欧諸国《きゅうとうおうしょこく》などに加《くわ》え、2022年《ねん》のロシアのウクライナ侵攻《しんこう》を受《う》けてフィンランドとスウェーデンが加盟《かめい》し、加盟国《かめいこく》は32に増《ふ》えました。

NATO《ナトー》のロゴ

6

平《へい》和《わ》をめざして 国《こく》際《さい》的《てき》に活《かつ》躍《やく》するNGO《エヌジーオー》

さまざまな分《ぶん》野《や》で活《かつ》躍《やく》するNGO《エヌジーオー》

▶NGO《エヌジーオー》（非《ひ》政《せい》府《ふ》組《そ》織《しき》）とは、政《せい》府《ふ》や国《こく》際《さい》機《き》関《かん》などに属《ぞく》さず、人《じん》権《けん》、環《かん》境《きょう》、医《い》療《りょう》、貧《ひん》困《こん》対《たい》策《さく》など、世《せ》界《かい》的《てき》なさまざまな問《もん》題《だい》の解《かい》決《けつ》をめざして活《かつ》動《どう》する市《し》民《みん》団《だん》体《たい》

いろいろあるんだね。ボクも調《しら》べてみようっと。

平《へい》和《わ》の実《じつ》現《げん》

【おもなNGO《エヌジーオー》】

- 核《かく》兵《へい》器《き》廃《はい》絶《ぜつ》国《こく》際《さい》キャンペーン（ICAN《アイキャン》）
- アクセプト・インターナショナル

人《じん》権《けん》の促《そく》進《しん》

【おもなNGO《エヌジーオー》】

- アムネスティ・インターナショナル
- ヒューマン・ライツ・ウォッチ

医《い》療《りょう》の提《てい》供《きょう》

【おもなNGO《エヌジーオー》】

- 国《こっ》境《きょう》なき医《い》師《し》団《だん》（MSF《エムエスエフ》）
- 世《せ》界《かい》の医《い》療《りょう》団《だん》

飢《き》餓《が》・貧《ひん》困《こん》の解《かい》消《しょう》

【おもなNGO《エヌジーオー》】

- ハンガー・フリー・ワールド
- オックスファム

環《かん》境《きょう》保《ほ》護《ご》

【おもなNGO《エヌジーオー》】

- 世《せ》界《かい》自《し》然《ぜん》保《ほ》護《ご》基《き》金《きん》（WWF《ダブリューダブリューエフ》）
- グリーンピース

こどもの支《し》援《えん》

【おもなNGO《エヌジーオー》】

- セーブ・ザ・チルドレン
- ワールド・ビジョン

？ 考《かんが》えてみよう

- 興《きょう》味《み》があるNGO《エヌジーオー》の活《かつ》動《どう》内《ない》容《よう》を調《しら》べてみよう！
- 「NPO《エヌピーオー》」という言《こと》葉《ば》についても調《しら》べてみて！

★平和《へいわ》の実現《じつげん》には国家《こっか》以外《いがい》の力《ちから》も必要《ひつよう》

政府《せいふ》や国際機関《こくさいきかん》などに属《ぞく》さず、人権《じんけん》、環境《かんきょう》、医療《いりょう》、貧困対策《ひんこんたいさく》など、世界中《せかいじゅう》のさまざまな問題《もんだい》の解決《かいけつ》をめざして活動《かつどう》する市民団体《しみんだんたい》が NGO《エヌジーオー》（非政府組織《ひせいふそしき》）です。民間《みんかん》の資金《しきん》やボランティアの支援《しえん》を受《う》けて運営《うんえい》されることが多《おお》く、世界中《せかいじゅう》でさまざまな NGO《エヌジーオー》が活動《かつどう》しています。

そのなかには平和《へいわ》をめざして活動《かつどう》する NGO《エヌジーオー》があります。たとえば、2017 年《ねん》にノーベル平和賞《へいわしょう》を受賞《じゅしょう》した「核兵器廃絶国際《かくへいきはいぜつこくさい》キャンペーン（ICAN《アイキャン》）」は、核兵器《かくへいき》をなくすために活動《かつどう》する世界中《せかいじゅう》の NGO《エヌジーオー》の連合体《れんごうたい》です。「国境《こっきょう》なき医師団《いしだん》（MSF《エムエスエフ》）」や「世界《せかい》の医療団《いりょうだん》」は、武力紛争《ぶりょくふんそう》や自然災害《しぜんさいがい》などによって医療《いりょう》を必要《ひつよう》とする人々《ひとびと》に医療支援《いりょうしえん》を行《おこな》っています。また、武力紛争《ぶりょくふんそう》は虐殺《ぎゃくさつ》や強制連行《きょうせいれんこう》など深刻《しんこく》な人権侵害《じんけんしんがい》を引《ひ》き起《お》こすこともあるので、世界最大《せかいさいだい》の人権団体《じんけんだんたい》である「アムネスティ・インターナショナル」も平和《へいわ》のために活動《かつどう》する NGO《エヌジーオー》といえます。

ここに挙《あ》げた以外《いがい》にも、日本《にっぽん》の「アクセプト・インターナショナル」など、国内外《こくないがい》で多《おお》くの NGO《エヌジーオー》が紛争《ふんそう》の予防《よぼう》や平和構築《へいわこうちく》、軍縮《ぐんしゅく》・核廃絶《かくはいぜつ》など、さまざまな方法《ほうほう》で平和《へいわ》の実現《じつげん》をめざして活動《かつどう》しています。

知《し》っておくべきコトバ

国境《こっきょう》なき医師団《いしだん》（MSF《エムエスエフ》）

1971 年《ねん》にフランス人医師《じんいし》とジャーナリストのグループによって設立《せつりつ》された NGO《エヌジーオー》で、世界最大《せかいさいだい》の国際的緊急医療団体《こくさいてききんきゅういりょうだんたい》です。紛争地《ふんそうち》や自然災害《しぜんさいがい》の被災地《ひさいち》、貧困地域《ひんこんちいき》などで緊急医療援助《きんきゅういりょうえんじょ》を行《おこな》ってきた実績《じっせき》が評価《ひょうか》され、1999 年《ねん》にノーベル平和賞《へいわしょう》を受賞《じゅしょう》しました。

国境《こっきょう》なき医師団《いしだん》のロゴ

7

知《し》っておきたい 歴《れき》史《し》に名《な》を残《のこ》す平《へい》和《わ》運《うん》動《どう》家《か》

世界的《せかいてき》に尊敬《そんけい》される3人《にん》の平和運動家《へいわうんどうか》

この３人《にん》は、非暴力《ひぼうりょく》と平和《へいわ》の象徴的《しょうちょうてき》な指導者《しどうしゃ》として世界的《せかいてき》に知《し》られています。それぞれの時代《じだい》や社会《しゃかい》で、非暴力《ひぼうりょく》に基《もと》づく平和《へいわ》と正義《せいぎ》の実現《じつげん》を模索《もさく》しました。その考《かんが》え方《かた》や言葉《ことば》は、今《いま》もなお世界中《せかいじゅう》で多《おお》くの人々《ひとびと》に感銘《かんめい》を与《あた》え続《つづ》けています。

Luca Galuzzi - www.galuzzi.it,GIACOMO MORINI / Shutterstock.com

考《かんが》えてみよう

- 3人《にん》がどんなことをした人《ひと》かを調《しら》べてみて！
- なぜ3人《にん》は非暴力《ひぼうりょく》にこだわったのだろう？

★暴力《ぼうりょく》ではない方法《ほうほう》で平和《へいわ》を求《もと》める偉人《いじん》

ここでは平和《へいわ》な世界《せかい》の実現《じつげん》を願《ねが》い活動《かつどう》した平和運動家《へいわうんどうか》を紹介《しょうかい》します。

インド独立運動《どくりつうんどう》の指導者《しどうしゃ》マハトマ・ガンジー（1869-1948年《ねん》）は、非暴力《ひぼうりょく》・不服従《ふふくじゅう》の抵抗運動《ていこううんどう》を展開《てんかい》して、イギリスからインドの独立《どくりつ》を勝《か》ち取《と》ったことで知《し》られています。

アメリカの公民権運動指導者《こうみんけんうんどうしどうしゃ》で「キング牧師《ぼくし》」として知《し》られるマーティン・ルーサー・キング・ジュニア（1929-1968年《ねん》）も非暴力的《ひぼうりょくてき》な手段《しゅだん》で人種差別撤廃《じんしゅさべつてっぱい》に尽力《じんりょく》しました。1963年《ねん》に行《おこな》った演説《えんぜつ》での「私《わたし》には夢《ゆめ》がある（I《アイ》 Have《ハブ》 a《ア》 Dream《ドリーム》）」というフレーズは歴史的《れきしてき》な名言《めいげん》として知《し》られています。

チベット仏教《ぶっきょう》の最高指導者《さいこうしどうしゃ》ダライ・ラマ14世《せい》（1935年《ねん》-）は、中国《ちゅうごく》によるチベット侵攻後《しんこうご》、1959年《ねん》にインドへ亡命《ぼうめい》し、チベットに戻《もど》ることなく非暴力《ひぼうりょく》によるチベットの自治《じち》を求《もと》めて活動《かつどう》しています。1989年《ねん》にノーベル平和賞《へいわしょう》を受賞《じゅしょう》しましたが、中国政府《ちゅうごくせいふ》は「チベットを中国《ちゅうごく》から切《き》り離《はな》そうとする危険《きけん》な人物《じんぶつ》」とみなしています。

暴力《ぼうりょく》を否定《ひてい》し続《つづ》けた彼《かれ》らの活動《かつどう》は平和《へいわ》を考《かんが》える一助《いちじょ》となるでしょう。

知《し》っておくべきコトバ

非暴力運動《ひぼうりょくうんどう》

暴力《ぼうりょく》を使《つか》わずに社会的正義《しゃかいてきせいぎ》を求《もと》めるのが「非暴力運動《ひぼうりょくうんどう》」です。ガンジーは、イギリスからの独立《どくりつ》をめざし「塩《しお》の行進《こうしん》」（塩《しお》の専売《せんばい》に抵抗《ていこう》した約《やく》386kmにおよぶ行進《こうしん》）などの非暴力抵抗《ひぼうりょくていこう》を行《おこな》いました。キング牧師《ぼくし》も公民権運動《こうみんけんうんどう》で非暴力《ひぼうりょく》を貫《つらぬ》き、差別撤廃《さべつてっぱい》を訴《うった》えました。しかし、暴力《ぼうりょく》によって殺《ころ》されました。

演説《えんぜつ》を行《おこな》うキング牧師《ぼくし》

8

日本《にっぽん》が平和《へいわ》のためにしていること

政府開発援助《せいふかいはつえんじょ》（ODA《オーディーエー》）総額《そうがく》の多《おお》い国《くに》（2022年《ねん》）

政府開発援助《せいふかいはつえんじょ》（ODA《オーディーエー》）とは？

開発途上地域《かいはつとじょうちいき》の経済発展《けいざいはってん》や福祉《ふくし》の向上《こうじょう》をおもな目的《もくてき》とする政府《せいふ》および政府《せいふ》関係機関《かんけいきかん》による国際協力活動《こくさいきょうりょくかつどう》として、資金《しきん》を贈与《ぞうよ》したり、貸《か》し付《つ》けたり、あるいは技術協力《ぎじゅつきょうりょく》したりすること。これまで日本《にっぽん》は190カ国《こく》・地域《ちいき》に支援《しえん》を行《おこな》い、現在《げんざい》も世界中《せかいじゅう》で開発《かいはつ》や教育《きょういく》、医療《いりょう》などのプロジェクトを支援《しえん》しています。

	国名《こくめい》	政府開発援助総額《せいふかいはつえんじょそうがく》
1位《い》	アメリカ	552.7億《おく》ドル
2位《い》	ドイツ	350.3億《おく》ドル
3位《い》	日本《にっぽん》	174.8億《おく》ドル
4位《い》	フランス	158.8億《おく》ドル
5位《い》	イギリス	157.5億《おく》ドル

出所：OECD

考《かんが》えてみよう

- 助《たす》けてくれる人《ひと》に対《たい》して、争《あらそ》う気持《きも》ちになる？
- 日本《にっぽん》がODA《オーディーエー》で途上国《とじょうこく》を援助《えんじょ》する理由《りゆう》も考《かんが》えてみて！

★国際協力《こくさいきょうりょく》によって平和《へいわ》を守《まも》る日本《にっぽん》

戦後《せんご》の日本《にっぽん》は、平和憲法《へいわけんぽう》の下《もと》、国際協調《こくさいきょうちょう》と平和主義《へいわしゅぎ》を掲《かか》げ、紛争《ふんそう》を平和的《へいわてき》に解決《かいけつ》すべく外交努力《がいこうどりょく》を続《つづ》けてきました。

アメリカやEU《イーユー》、韓国《かんこく》などの「自由《じゆう》」「民主主義《みんしゅしゅぎ》」「人権《じんけん》の尊重《そんちょう》」「法《ほう》の支配《しはい》」といった基本的価値《きほんてきかち》を共有《きょうゆう》する国々《くにぐに》との協力《きょうりょく》を強化《きょうか》する一《いっ》方《ぽう》、そうした価値《かち》を共有《きょうゆう》しない中国《ちゅうごく》などとの関係《かんけい》も経済《けいざい》を中心《ちゅうしん》に安定《あんてい》的《てき》に発展《はってん》させるべく努《つと》めています。また、国連平和維持活動《こくれんへいわいじかつどう》（PKO《ピーケーオー》）などに参加《さんか》して世界《せかい》の平和《へいわ》と安定《あんてい》に積極的《せっきょくてき》な役割《やくわり》も果《は》たしてきました。国際協力機構《こくさいきょうりょくきこう》（JICA《ジャイカ》）などを通《つう》じて、開発途上国《かいはつとじょうこく》に資金《しきん》や技術《ぎじゅつ》の協力《きょうりょく》を行《おこな》う政府開発援助《せいふかいはつえんじょ》（ODA《オーディーエー》）にも積極的《せっきょくてき》に取《と》り組《く》んでいます。

こうした活動《かつどう》によって、日本国憲法《にっぽんこくけんぽう》がめざす国際社会《こくさいしゃかい》における「名《めい》誉《よ》ある地位《ちい》」の確立《かくりつ》や、戦争《せんそう》の原因《げんいん》である貧困《ひんこん》の撲滅《ぼくめつ》、そして世界《せかい》と日本《にっぽん》の平和《へいわ》につながることが期待《きたい》されています。しかし、日本経済《にっぽんけいざい》の長期《ちょうき》にわたる低迷《ていめい》や、人口《じんこう》の高齢化《こうれいか》にともなう社会保障費《しゃかいほしょうひ》の増大《ぞうだい》などもあって、ODA《オーディーエー》予算《よさん》は減少《げんしょう》しています。ODA《オーディーエー》を含《ふく》む日本《にっぽん》の国際協力《こくさいきょうりょく》について考《かんが》えることがいっそう重要《じゅうよう》になっています。

知《し》っておくべきコトバ

人間《にんげん》の安全保障《あんぜんほしょう》

「人間《にんげん》の安全保障《あんぜんほしょう》」とは、人間一人《にんげんひと》ひとり《り》に着目《ちゃくもく》し、生存《せいぞん》・生活《せいかつ》・尊厳《そんげん》に対《たい》する広範《こうはん》かつ深刻《しんこく》な脅威《きょうい》から人々《ひとびと》を守《まも》り、それぞれの持《も》つ豊《ゆた》かな可能性《かのうせい》を実現《じつげん》するために保護《ほご》と能力強化《のうりょくきょうか》を通《つう》じて持続可能《じぞくかのう》な個人《こじん》の自立《じりつ》と社会《しゃかい》づくりを促《うなが》す考《かんが》え方《かた》です。1994年《ねん》、国《こく》連開発計画《れんかいはつけいかく》（UNDP《ユーエヌディーピー》）の報告書《ほうこくしょ》で初《はじ》めて提唱《ていしょう》され、従来《じゅうらい》の「国家中心《こっかちゅうしん》の安全保障《あんぜんほしょう》」から「人間中心《にんげんちゅうしん》の安全保障《あんぜんほしょう》」へと発想《はっそう》の転換《てんかん》が図《はか》られました。日本《にっぽん》もこの考《かんが》え方《かた》の国際《こくさい》的《てき》な普及《ふきゅう》に大《おお》きく貢献《こうけん》しており、外交政策《がいこうせいさく》や国際協力《こくさいきょうりょく》の柱《はしら》のひとつとしています。

COLUMN：知《し》っておきたいノーベル平和賞受賞者《へいわしょうじゅしょうしゃ》⑤

日本原水爆被害者団体協議会《にほんげんすいばくひがいしゃだんたいきょうぎかい》（被団協《ひだんきょう》）

日本原水爆被害者団体協議会《にほんげんすいばくひがいしゃだんたいきょうぎかい》（被団協《ひだんきょう》）は、1956年《ねん》に設立《せつりつ》された、核兵器《かくへいき》の被害《ひがい》を受《う》けた被爆者《ひばくしゃ》たちの全国組織《ぜんこくそしき》です。設立以来《せつりついらい》、核兵器《かくへいき》のない世界《せかい》の実現《じつげん》と被爆者《ひばくしゃ》の援護《えんご》を主要《しゅよう》な目的《もくてき》として活動《かつどう》してきました。被爆者《ひばくしゃ》が自《みずか》らその体験《たいけん》を語《かた》る「証言活動《しょうげんかつどう》」は、国内外《こくないがい》で核兵器《かくへいき》の非人道性《ひじんどうせい》を訴《うった》える重要《じゅうよう》な役割《やくわり》を果《は》たしています。

2024年《ねん》10月《がつ》、被団協《ひだんきょう》は長年《ながねん》にわたる努力《どりょく》と核兵器廃絶《かくへいきはいぜつ》への貢献《こうけん》が国際的《こくさいてき》に評価《ひょうか》され、ノーベル平和賞《へいわしょう》を受賞《じゅしょう》しました。日本《にっぽん》からの平和賞受賞《へいわしょうじゅしょう》は、非核三原則《ひかくさんげんそく》を提唱《ていしょう》した1974年《ねん》の佐藤栄作元首相以来《さとうえいさくもとしゅしょういらい》で2例目《れいめ》です。授賞式《じゅしょうしき》では被団協《ひだんきょう》を代表《だいひょう》して田中熙巳代表委員《たなかてるみだいひょういいん》が講演《こうえん》を行《おこな》い、そのなかで高齢化《こうれいか》が進《すす》む被爆者《ひばくしゃ》に代《か》わり、若《わか》い世代《せだい》に運動《うんどう》を引《ひ》き継《つ》ぐことの重要性《じゅうようせい》を強調《きょうちょう》しました。

ノーベル平和賞受賞記者会見《へいわしょうじゅしょうきしゃかいけん》での田中熙巳氏《たなかてるみし》

現在《げんざい》も核兵器《かくへいき》を保有《ほゆう》し、核軍拡《かくぐんかく》を進《すす》める国《くに》があります。核兵器《かくへいき》が世界《せかい》からなくならない現実《げんじつ》のなかで、被団協《ひだんきょう》は被爆《ひばく》の記憶《きおく》を後世《こうせい》に伝《つた》えながら、核《かく》のない世界《せかい》を実現《じつげん》するための活動《かつどう》を続《つづ》けています。

第《だい》6章《しょう》

平《へい》和《わ》のために考《かんが》えること、できること

1

世界中《せかいじゅう》でルールを守《まも》らせることはできないのだろうか？

国際社会《こくさいしゃかい》はルールを守《まも》らせる権力《けんりょく》を欠《か》いている

日本《にっぽん》（国内社会《こくないしゃかい》）

自国全土《じこくぜんど》を取《と》り締《し》まる
ルール（法律《ほうりつ》）があり、
警察《けいさつ》や裁判所《さいばんしょ》などの
法執行力《ほうしっこうちから》もある

世界《せかい》（国際社会《こくさいしゃかい》）

国際社会《こくさいしゃかい》が守《まも》るべきルール（国際法《こくさいほう》）
はあるが、それを執行《しっこう》する権力《けんりょく》が
きわめて脆弱《ぜいじゃく》である

国家《こっか》は主権《しゅけん》を持《も》つが、国際社会《こくさいしゃかい》には国家《こっか》を超《こ》える権力主体《けんりょくしゅたい》がない！

？ 考《かんが》えてみよう

- 日本《にっぽん》で罪《つみ》を犯《おか》した人《ひと》は警察《けいさつ》に逮捕《たいほ》されるけど、もしどこかの国《くに》が罪《つみ》を犯《おか》したらどうなるのだろう？

★世界《せかい》には警察《けいさつ》のような権力《けんりょく》がない！

国内《こくない》では警察《けいさつ》や裁判所《さいばんしょ》などの権威《けんい》や権力《けんりょく》が存在《そんざい》し、それが機能《きのう》することで社会《しゃかい》の秩序《ちつじょ》が保《たも》たれています。しかし、国《くに》と国《くに》の間《あいだ》で紛争《ふんそう》が起《お》きたり、ある国《くに》で人権《じんけん》が抑圧《よくあつ》されたりすると、問題《もんだい》は複雑《ふくざつ》になります。なぜなら、国家《こっか》を取《と》り締《し》まる世界的《せかいてき》な権威《けんい》や権力《けんりょく》がないからです。

このような状況《じょうきょう》が生《う》まれる理由《りゆう》のひとつには「国家主権《こっかしゅけん》」があります。国家主権《こっかしゅけん》とは、それぞれの国《くに》が自分《じぶん》たちの国内《こくない》のことを自分《じぶん》たちで管理《かんり》し、外部《がいぶ》からの干渉《かんしょう》を拒否《きょひ》できる権利《けんり》のことです。そのため、他国《たこく》の問題《もんだい》に介入《かいにゅう》することには慎重《しんちょう》にならざるを得《え》ません。国連《こくれん》は加《か》盟国《めいこく》が協力《きょうりょく》してルールをつくることはできますが、そのルールを守《まも》るかどうかは安保理決議《あんぽりけつぎ》を除《のぞ》き、各国《かっこく》の判断《はんだん》に委《ゆだ》ねられているのです。

しかし現実《げんじつ》には感染症《かんせんしょう》や気候変動《きこうへんどう》のように国境《こっきょう》を越《こ》えて影響《えいきょう》を与《あた》える問題《もんだい》が多《おお》く起《お》きています。こうした問題《もんだい》に対処《たいしょ》するための国際的《こくさいてき》ルールづくりもなされてきましたが、それを履行《りこう》しない国《くに》も少《すく》なくありません。各国《かっこく》が自国《じこく》の利益《りえき》だけを考《かんが》えるのではなく、世界《せかい》や人類《じんるい》の利益《りえき》にも目《め》を向《む》け、そのために必要《ひつよう》な協力《きょうりょく》を進《すす》めるべきでしょう。

知《し》っておくべきコトバ

国家主権《こっかしゅけん》

国家《こっか》が自国《じこく》の領域《りょういき》において有《ゆう》する排他的《はいたてき》な支配権《しはいけん》。国家主権《こっかしゅけん》は次《つぎ》の2つの側面《そくめん》からとらえられます。外交《がいこう》や軍事《ぐんじ》による平和《へいわ》と安全《あんぜん》を確保《かくほ》する排他的《はいたてき》な「対外主権《たいがいしゅけん》（独立権《どくりつけん》）」、警察《けいさつ》によって治安《ちあん》を確保《かくほ》したり、裁判所《さいばんしょ》によって国民《こくみん》の権利《けんり》を保護《ほご》する「対内主権《たいないしゅけん》（領《りょう》域主権《いきしゅけん》）」です。日本《にっぽん》が独立国《どくりつこく》であり続《つづ》けられるのも国家主権《こっかしゅけん》を守《まも》っているからです。かつての植民地《しょくみんち》では国家主権《こっかしゅけん》は宗主国《そうしゅこく》に奪《うば》われていました。それからもわかるように国《こっ》家主権《かしゅけん》は国《くに》の独立性《どくりつせい》を保《たも》つために非常《ひじょう》に重要《じゅうよう》なものです。

2

戦《せん》争《そう》の悲《かな》しい事《じ》実《じつ》から目《め》を背《そむ》けない！

quetions123 / Shutterstock.com、Anas-Mohammed / Shutterstock.com

考《かんが》えてみよう

- 悲《ひ》惨《さん》な事《じ》実《じつ》や不《ふ》都《つ》合《ごう》な真《しん》実《じつ》を知《し》るのが怖《こわ》い？
- 推《すい》薦《せん》図《と》書《しょ》（124ページ）を読《よ》んで友《とも》だちと感《かん》想《そう》を語《かた》り合《あ》おう！

★戦争《せんそう》の現実《げんじつ》を知《し》り、歴史《れきし》から教訓《きょうくん》を学《まな》ぼう！

みなさんは実際《じっさい》に戦争《せんそう》に関《かか》わったことはありませんが、私《わたし》たちの祖《そ》先《せん》は戦争《せんそう》をしてきました。そして今《いま》も、世界《せかい》では戦争《せんそう》が起《お》きています。戦争《せんそう》を体験《たいけん》した人々《ひとびと》は「戦争《せんそう》はこりごりだ」と思《おも》ったはずですし、「なぜ戦争《せんそう》が起《お》きてしまったのだろう」と反省《はんせい》したはずです。それなのにその後《ご》も戦争《せんそう》を繰《く》り返《かえ》しているのが人間《にんげん》の歴史《れきし》です。人間《にんげん》は戦争《せんそう》の怖《こわ》さや悲《かな》しみを忘《わす》れては、また戦争《せんそう》を繰《く》り返《かえ》してしまう動物《どうぶつ》なのかもしれません。

なぜ学校《がっこう》で戦争《せんそう》のことを学《まな》ぶのでしょうか。毎年《まいとし》8月《がつ》15日《にち》になると戦争《せんそう》に関《かん》するテレビ番組《ばんぐみ》が放映《ほうえい》されるのはなぜでしょうか。それは、戦争《せんそう》の記憶《きおく》を次《つぎ》の世代《せだい》に語《かた》り継《つ》いでいくことが、平和《へいわ》への第一歩《だいいっぽ》だからです。たとえば、太平洋戦争中《たいへいようせんそうちゅう》の沖縄戦《おきなわせん》では「ひめゆり学徒隊《がくとたい》」という、みなさんと年齢《ねんれい》があまり変《か》わらない13～19歳《さい》の女学生《じょがくせい》と引率《いんそつ》の先生《せんせい》が136名《めい》も亡《な》くなりました。

そしてもうひとつ大切《たいせつ》なのが、「今《いま》」も続《つづ》く戦争《せんそう》の現実《げんじつ》に目《め》を向《む》けることです。紛争地帯《ふんそうちたい》に住《す》む人々《ひとびと》はどんな気持《きも》ちで日々《ひび》を過《す》ごしているのでしょうか。家族《かぞく》や友人《ゆうじん》を失《うしな》い、家《いえ》や学校《がっこう》を破壊《はかい》され、きれいな水《みず》や食《た》べ物《もの》、住《す》むところ、病院《びょういん》などのない状況《じょうきょう》に置《お》かれているこどもたちも少《すく》なくありません。

そうした現実《げんじつ》を実感《じっかん》するのは簡単《かんたん》ではありませんが、ニセ情報《じょうほう》に惑《まど》わされず、信頼《しんらい》のおけるニュースやNGO《エヌジーオー》の報告《ほうこく》などから、少《すこ》しずつ理解《りかい》を深《ふか》めましょう。そして、「もし自分《じぶん》がそんな状況《じょうきょう》に置《お》かれたら……」と想像《そうぞう》することで、平和《へいわ》がいかに大切《たいせつ》なものかを身《み》にしみて感《かん》じられるでしょう。自分《じぶん》たちに何《なに》ができるのかを考《かんが》え、小《ちい》さなことからでも行動《こうどう》していくことが平和《へいわ》な社会《しゃかい》を守《まも》ることにつながるのです。

3

世《せ》界《かい》の平《へい》和《わ》のために、戦《せん》争《そう》の原《げん》因《いん》や理《り》由《ゆう》を知《し》ろう

戦《せん》争《そう》原《げん》因《いん》（→第《だい》2章《しょう》）についてもっと考《かんが》えてみよう

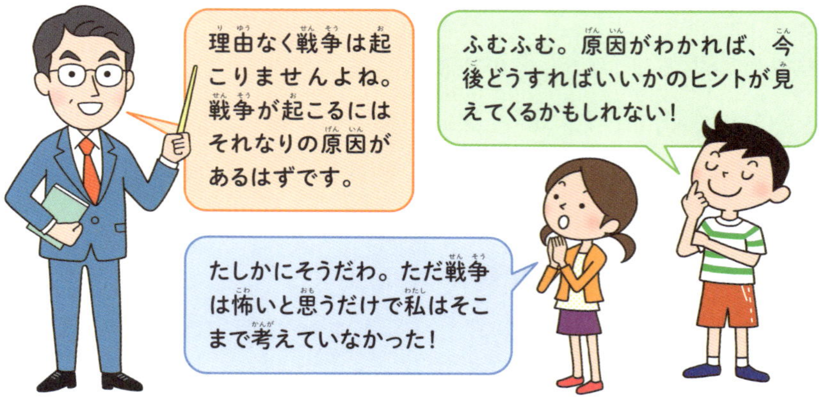

原《げん》因《いん》や理《り》由《ゆう》もなしに戦《せん》争《そう》は起《お》こらない。
戦《せん》争《そう》の原《げん》因《いん》や理《り》由《ゆう》を知《し》ることは、
将《しょう》来《らい》の戦《せん》争《そう》を避《さ》けるヒントになるはず！

考《かんが》えてみよう

- 理《り》由《ゆう》なく争《あらそ》う人《ひと》なんているだろうか？
- 戦《せん》争《そう》原《げん》因《いん》を除《じょ》去《きょ》する方《ほう》法《ほう》を考《かんが》えよう！（→第《だい》2章《しょう》）

★争《あらそ》いが起《お》こるときには必《かなら》ず理由《りゆう》があるはず

世界中《せかいじゅう》の人々《ひとびと》が互《たが》いを尊重《そんちょう》し、協力《きょうりょく》し合《あ》えば、戦争《せんそう》のない世界《せかい》を実現《じつげん》できるはずです。人類《じんるい》はそんな努力《どりょく》もしてきましたが、一方《いっぽう》では互《たが》いにいがみ合《あ》い、争《あらそ》い、傷《きず》つけ殺《ころ》し合《あ》ったりもしてきました。後者《こうしゃ》の原因《げんいん》を探《さぐ》り、それを取《と》り除《のぞ》くことが平和《へいわ》の条件《じょうけん》です。

これまでも説明《せつめい》してきたように、争《あらそ》いは領土《りょうど》や資源《しげん》をめぐってだけでなく、宗教《しゅうきょう》や民族《みんぞく》の違《ちが》いなどでも生《しょう》じます。貧困《ひんこん》や不平等《ふびょうどう》への不満《ふまん》から社会《しゃかい》が不安定《ふあんてい》になり、それが内戦《ないせん》に発展《はってん》することもあります。戦争《せんそう》や紛争《ふんそう》が起《お》きる原因《げんいん》や理由《りゆう》は複雑《ふくざつ》です。だからといって、その原因《げんいん》や理由《りゆう》がわからないままでは解決《かいけつ》の入《い》り口《ぐち》にさえ立《た》てません。

さらにいえば、国《くに》が違《ちが》えば人《ひと》の考《かんが》え方《かた》は異《こと》なりますし、宗教《しゅうきょう》が違《ちが》えば大切《たいせつ》なもの、タブー視《し》するものも違《ちが》います。同《おな》じ国《くに》に住《す》み、同《おな》じ宗教《しゅうきょう》を信仰《しんこう》する人《ひと》であっても同《おな》じ考《かんが》えを持《も》つとはかぎりません。そんな違《ちが》いがあることを前提《ぜんてい》に世界《せかい》や人々《ひとびと》の多様性《たようせい》を理解《りかい》し、相手《あいて》を理解《りかい》する気持《きも》ちを持《も》つことが、平和《へいわ》にとって欠《か》かせない態度《たいど》ではないでしょうか。

知《し》っておくべきコトバ

多様性《たようせい》と寛容性《かんようせい》

各自《かくじ》が違《ちが》った人種《じんしゅ》、文化《ぶんか》、性別《せいべつ》、年齢《ねんれい》、考《かんが》え方《かた》、趣味《しゅみ》などの特性《とくせい》や背景《はいけい》を持《も》っていること。それが多様性《たようせい》です。クラスに違《ちが》う国籍《こくせき》の人《ひと》がいたり、性別《せいべつ》や得意《とくい》なことが違《ちが》う人《ひと》がいます。そうした違《ちが》いを認《みと》め合《あ》う寛容性《かんようせい》を持《も》つことが世界平和《せかいへいわ》への第一歩《だいいっぽ》です。

4

正義《せいぎ》の戦争《せんそう》は、あるのだろうか？

戦争《せんそう》では、交戦国双方《こうせんこくそうほう》が正義《せいぎ》を主張《しゅちょう》するが真実《しんじつ》はどこにあるのだろう？

考《かんが》えてみよう

- 「けんか両成敗《りょうせいばい》」は正《ただ》しいのだろうか？
- イスラエル－ハマス戦争《せんそう》で正義《せいぎ》はどこにあるだろう？

★戦争《せんそう》に勝《か》てば罪《つみ》にならないのだろうか？

「勝《か》てば官軍《かんぐん》、負《ま》ければ賊軍《ぞくぐん》」という言葉《ことば》があります。「戦《たたか》いに勝《か》ったほうが正義《せいぎ》」とされてしまうことがある、というたとえです。

極東国際軍事裁判《きょくとうこくさいぐんじさいばん》（東京裁判《とうきょうさいばん》）は、「勝者《しょうしゃ》の裁判《さいばん》」と批判《ひはん》されることもありました。しかし、同裁判《どうさいばん》を受諾《じゅだく》したことにより、日本《にっぽん》はサンフランシスコ平和条約《へいわじょうやく》によって国際社会《こくさいしゃかい》に復帰《ふっき》できたのです。

戦後《せんご》すぐにつくられた国連憲章《こくれんけんしょう》は自衛権《じえいけん》を除《のぞ》き、武力《ぶりょく》の行使《こうし》を原則《げんそく》禁止《きんし》していますが、「旧敵国条項《きゅうてきこくじょうこう》」とよばれる規定《きてい》があります。もし日本《にっぽん》、ドイツ、イタリアといった敗戦国《はいせんこく》が再《ふたた》び戦争《せんそう》を起《お》こしそうなら、国連加盟国《こくれんかめいこく》は武力《ぶりょく》を使《つか》ってもよいとする内容《ないよう》です。日本政府《にっぽんせいふ》は「すでに無効《むこう》」という立場《たちば》ですが、この条項《じょうこう》は今《いま》も残《のこ》っています。

2023年《ねん》に起《お》きたイスラエル－ハマス戦争《せんそう》を考《かんが》えてみましょう。私《わたし》たちが非難《ひなん》すべきはハマスのテロでしょうか。それともイスラエルの空爆《くうばく》でしょうか。答《こた》えは二者択一《にしゃたくいつ》ではなく、こどもを含《ふく》む罪《つみ》のない人々《ひとびと》の命《いのち》を奪《うば》い去《さ》る暴力《ぼうりょく》にはすべて反対《はんたい》すべきではないでしょうか。「戦争《せんそう》における正義《せいぎ》とは何《なに》か」を議論《ぎろん》してみる必要《ひつよう》がありそうです。

知《し》っておくべきコトバ

終戦《しゅうせん》70年《ねん》の安倍談話《あべだんわ》

2015年《ねん》8月《がつ》14日《じゅうよっか》、安倍晋三首相《あべしんぞうしゅしょう》は「終戦《しゅうせん》70年《ねん》の談《だん》話《わ》」を発表《はっぴょう》しました。先《さき》の大戦《たいせん》への反省《はんせい》と平和国家《へいわこっか》としての歩《あゆ》みを強調《きょうちょう》しつつ、「歴史《れきし》の教訓《きょうくん》を深《ふか》く胸《むね》に刻《きざ》み、より良《よ》い未来《みらい》を切《き》り拓《ひら》いていく、アジア、そして世界《せかい》の平和《へいわ》と繁栄《はんえい》に力《ちから》を尽《つ》くす大《おお》きな責任《せきにん》がある」と述《の》べました。全文《ぜんぶん》は外務省《がいむしょう》のホームページで読《よ》めます。

安倍晋三《あべしんぞう》

Salma Bashir / Shutterstock.com

5

「核《かく》抑《よく》止《し》力《りょく》」は必《ひつ》要《よう》なのだろうか？

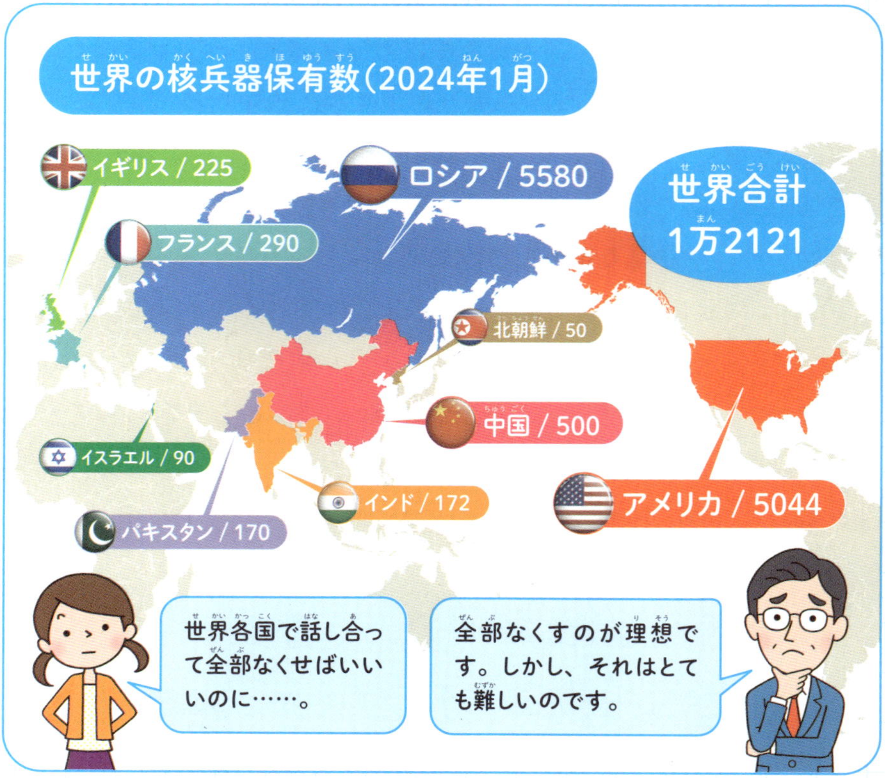

出所：Stockholm International Peace Research Institute「SIPRI YEARBOOK 2024」

考《かんが》えてみよう

- 学校《がっこう》のなかにも抑止力《よくしりょく》が働《はたら》いている関係《かんけい》はない？
- ミサイルで挑発《ちょうはつ》を繰《く》り返《かえ》す北朝鮮《きたちょうせん》にどう対処《たいしょ》すべき？

★戦争《せんそう》を避《さ》けるために核抑止力《かくよくしりょく》は必要《ひつよう》!?

街《まち》でケンカを売《う》られたとき、たとえ力《ちから》がなくとも武器《ぶき》を見《み》せれば、相手《あいて》が手《て》を引《ひ》くかもしれません。国家間《こっかかん》でのそんな武器《ぶき》の究極《きゅうきょく》にあるのが核兵器《かくへいき》です。

冷戦時代《れいせんじだい》、米《べい》ソは、大量《たいりょう》の核兵器《かくへいき》を保有《ほゆう》し、互《たが》いに相手《あいて》の攻撃《こうげき》をとどまらせる「抑止力《よくしりょく》」を働《はたら》かせていました。抑止力《よくしりょく》とは、強力《きょうりょく》な報復《ほうふく》手段《しゅだん》を持《も》つことで他国《たこく》に攻撃《こうげき》を思《おも》いとどまらせる力《ちから》です。米《べい》ソいずれかが先制核攻撃《せんせいかくこうげき》を行《おこな》ったとしても、相手国《あいてこく》の核兵器《かくへいき》をすべて破壊《はかい》することができなければ（たとえば、核兵器《かくへいき》を積《つ》んだ原子力潜水艦《げんしりょくせんすいかん》）、報《ほう》復核攻撃《ふくかくこうげき》を受《う》けるため、米《べい》ソは直接戦争《ちょくせつせんそう》を避《さ》けたのです。

抑止力《よくしりょく》は、一部《いちぶ》では平和《へいわ》と安全《あんぜん》の維持《いじ》に役立《やくだ》っていると考《かんが》えられています。しかし、核兵器《かくへいき》の小型化《こがたか》・軽量化《けいりょうか》が進《すす》み、それがテロリストなどの手《て》に渡《わた》れば、「抑止力《よくしりょく》」は働《はたら》かないでしょう。

さらに、核兵器《かくへいき》の使用《しよう》は環境破壊《かんきょうはかい》や放射能汚染《ほうしゃのうおせん》を引《ひ》き起《お》こし、何世《なんせ》代《だい》にもわたって人類《じんるい》に深刻《しんこく》な悪影響《あくえいきょう》をおよぼします。

世界全体《せかいぜんたい》の核兵器《かくへいき》はピークだった1980年代後半《ねんだいこうはん》の7万発超《まんぱつちょう》から減《へ》っているとはいえ、左《ひだり》の図《ず》のとおり、2024年《ねん》1月時点《がつじてん》で1万《まん》2121発《はつ》もあります。日本《にっぽん》の近隣《きんりん》には中国《ちゅうごく》、ロシア、北朝鮮《きたちょうせん》といった核保有国《かくほゆうこく》があり、核兵器《かくへいき》を保有《ほゆう》しない日本《にっぽん》は、アメリカの「核《かく》の傘《かさ》」による抑止力《よくしりょく》（拡大核抑止《かくだいかくよくし》）に頼《たよ》っているという現実《げんじつ》があります。

こうした核兵器《かくへいき》は、本当《ほんとう》に抑止力《よくしりょく》として必要《ひつよう》なのでしょうか。

すべての国《くに》が核廃絶《かくはいぜつ》に賛成《さんせい》し、核兵器《かくへいき》を持《も》つ国《くに》がまったくなくならないかぎり、核《かく》の威嚇《いかく》に脅《おびや》かされたり、核攻撃《かくこうげき》を受《う》ける可能性《かのうせい》を完全《かんぜん》になくすことはできません。「核《かく》のない世界《せかい》」をめざし、核軍縮《かくぐんしゅく》を着《ちゃく》実《じつ》に進《すす》める現実的努力《げんじつてきどりょく》を続《つづ》けなければなりません。

6

日本《にっぽん》に外国《がいこく》が攻《せ》めてきたらどうすればいいのだろう？

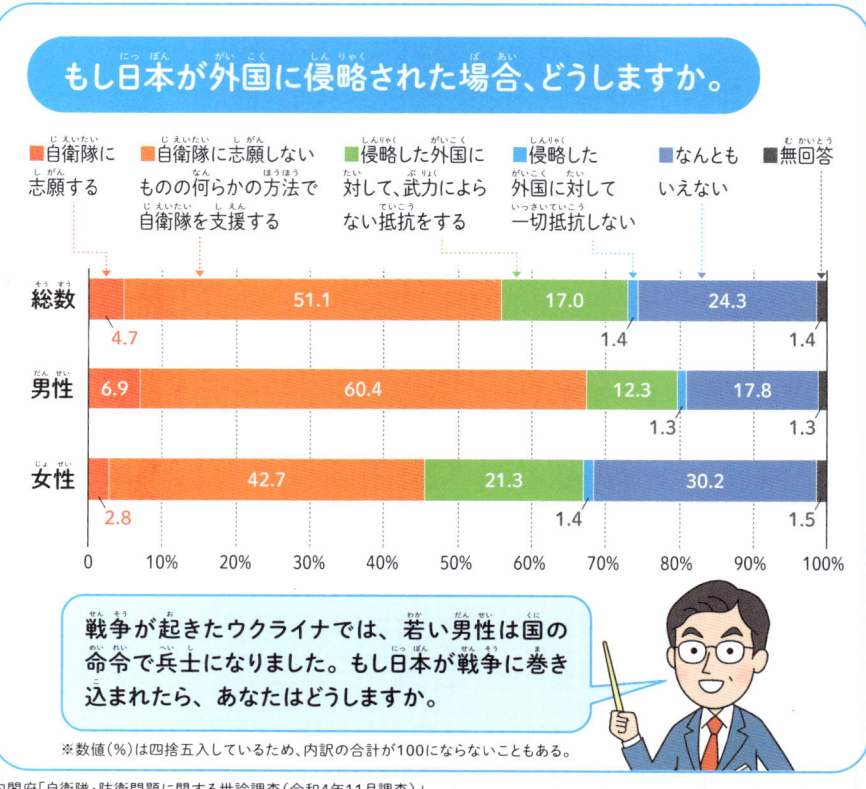

もし日本《にっぽん》が外国《がいこく》に侵略《しんりゃく》された場合《ばあい》、どうしますか。

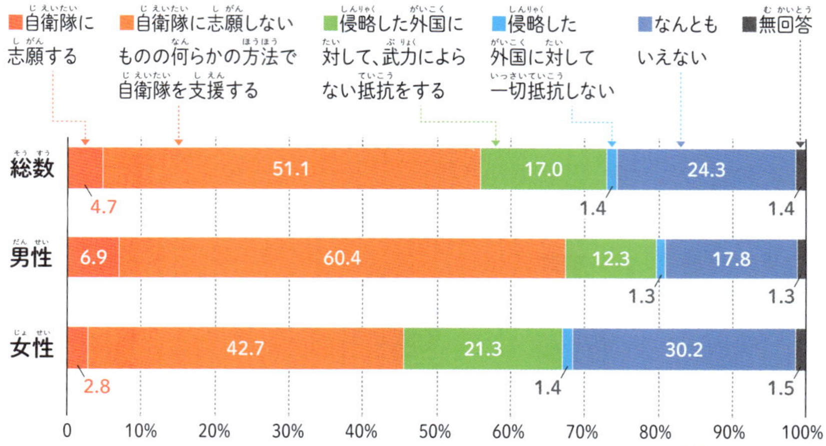

戦争《せんそう》が起《お》きたウクライナでは、若《わか》い男性《だんせい》は国《くに》の命令《めいれい》で兵士《へいし》になりました。もし日本《にっぽん》が戦争《せんそう》に巻《ま》き込《こ》まれたら、あなたはどうしますか。

※数値（%）は四捨五入しているため、内訳の合計が100にならないこともある。

内閣府「自衛隊・防衛問題に関する世論調査（令和4年11月調査）」

考《かんが》えてみよう

- 大人《おとな》になったとき、日本《にっぽん》が外国《がいこく》から侵略《しんりゃく》されたらあなたはどんな行動《こうどう》をとろうと思《おも》う？ 考《かんが》えてみて！

★日本《にっぽん》を守《まも》るのは、だれなのだろうか？

外国《がいこく》が日本《にっぽん》を攻撃《こうげき》しないともかぎりません。その備《そな》えとして、日本《にっぽん》政府《せいふ》は以下《いか》のような対応《たいおう》をとることができます。

・**抑止力《よくしりょく》の充実《じゅうじつ》**……たとえば、弾道《だんどう》ミサイル迎撃《げいげき》システムの整備《せいび》や反《はん》撃力《げきりょく》の強化《きょうか》です。

・**外交交渉《がいこうこうしょう》**……戦争原因《せんそうげんいん》となり得《え》る紛争《ふんそう》の解決《かいけつ》や（戦争《せんそう》になった場合《ばあい》の）停戦合意《ていせんごうい》に努《つと》めます。

・**自衛権《じえいけん》の行使《こうし》**……日本国憲法《にっぽんこくけんぽう》が国家固有《こっかこゆう》の権利《けんり》としての自衛権《じえいけん》の行《こう》使《し》を禁止《きんし》していると考《かんが》えるべきではありません。自衛《じえい》のための最小限《さいしょうげん》の防衛力《ぼうえいりょく》としての自衛隊《じえいたい》による措置《そち》がとれます。

・**国際社会《こくさいしゃかい》への訴《うった》え**……国連憲章《こくれんけんしょう》は「武力《ぶりょく》による威嚇又《いかくまた》は武力《ぶりょく》の行《こう》使《し》」を禁止《きんし》しており、そのような事態《じたい》が起《お》きれば、国連安保理《こくれんあんぽり》や国際《こくさい》司法裁判所《しほうさいばんしょ》に提起《ていき》できます。

・**同盟国《どうめいこく》との連携《れんけい》**……日本《にっぽん》はアメリカと安全保障条約《あんぜんほしょうじょうやく》を結《むす》んで同盟関《どうめいかん》係《けい》にあるので、共同防衛《きょうどうぼうえい》を行《おこな》うことができます。

・**国民《こくみん》の安全確保《あんぜんかくほ》**……攻撃《こうげき》による被害《ひがい》を抑《おさ》えるために、防護施設整備《ぼうごしせつせいび》（核《かく》シェルター）や国民《こくみん》への通報《つうほう》（J《ジェイ》アラート）・誘導《ゆうどう》を行《おこな》います。

知《し》っておくべきコトバ

自衛権《じえいけん》

一国《いっこく》が外国《がいこく》からの不法《ふほう》な武力攻撃《ぶりょくこうげき》を受《う》けたときに、自国《じこく》を守《まも》るためにその攻撃《こうげき》に対《たい》して反撃《はんげき》する行為《こうい》が「自衛《じえい》」です。国際法《こくさいほう》では、必要以上《ひつよういじょう》にやりすぎなければ、この自《じ》衛《えい》は認《みと》められています。その権利《けんり》を「自衛権《じえいけん》」といいます。日本《にっぽん》の憲法第《けんぽうだい》９条《じょう》では、国際紛争解決《こくさいふんそうかいけつ》のための武力行使《ぶりょくこうし》を禁《きん》じていますが、自衛権《じえいけん》は国家固有《こっかこゆう》の権利《けんり》として認《みと》められています。国連憲章《こくれんけんしょう》にも、個別的自衛権《こべつてきじえいけん》と集団的自衛権《しゅうだんてきじえいけん》が明記《めいき》されています。

7

友《とも》だちが暴力《ぼうりょく》をふるわれていたら、あなたは助《たす》ける？

日本《にっぽん》が攻撃《こうげき》されたらアメリカが助《たす》けてくれるという約束《やくそく》がある。
日本《にっぽん》は仲間《なかま》の国《くに》を助《たす》けるべきだろうか？

考《かんが》えてみよう

- 「集団的自衛権《しゅうだんてきじえいけん》」について考《かんが》えて、先生《せんせい》に質問《しつもん》し、クラスで話《はな》し合《あ》ってみよう

★仲間《なかま》の国《こく》が攻撃《こうげき》されたら、日本《にっぽん》はどうすべき？

親友《しんゆう》がだれかにいじめられていたら、きっと助《たす》けたくなるはずです。自分《じぶん》がいじめられたら、親友《しんゆう》に助《たす》けてもらいたいはずです。そんなときに互《たが》いに助《たす》け合《あ》うために力《ちから》をふるうというのが「集団的自衛権《しゅうだんてきじえいけん》」の考《かんが》え方《かた》です。たとえば、NATO《ナトー》（北大西洋条約機構《きたたいせいようじょうやくきこう》）は、加盟国《かめいこく》のどこかが攻撃《こうげき》された場合《ばあい》、全加盟国《ぜんかめいこく》に対《たい》する攻撃《こうげき》とみなし、共同《きょうどう》で対応《たいおう》します。この「集団防衛《しゅうだんぼうえい》」の原則《げんそく》にも集団的自衛権《しゅうだんてきじえいけん》が適用《てきよう》されています。

日米安全保障条約《にちべいあんぜんほしょうじょうやく》は日本《にっぽん》が攻撃《こうげき》されたら、「アメリカが日本《にっぽん》を助《たす》ける」と約束《やくそく》しています。一方《いっぽう》、もしアメリカが攻《せ》められたら、日本《にっぽん》は武力《ぶりょく》で助《たす》けられるのでしょうか。

従来《じゅうらい》、日本政府《にっぽんせいふ》は集団的自衛権《しゅうだんてきじえいけん》の行使《こうし》は憲法上許《けんぽうじょうゆる》されないとの立場《たちば》をとっていましたが、2015年《ねん》、安倍晋三内閣《あべしんぞうないかく》は憲法解釈《けんぽうかいしゃく》を変更《へんこう》して条件付《じょうけんつ》きで限定的《げんていてき》な集団的自衛権《しゅうだんてきじえいけん》を容認《ようにん》しました。しかし、それによって「戦争《せんそう》に巻《ま》き込《こ》まれる可能性《かのうせい》が高《たか》まる」と考《かんが》える人《ひと》と、「親《した》しい国《くに》を助《たす》けない日本《にっぽん》などだれも助《たす》けてくれない」と考《かんが》える人《ひと》がいます。これを「同盟《どうめい》のジレンマ」といいます。あなたはどう考《かんが》えますか？

知《し》っておくべきコトバ

個別的自衛権《こべつてきじえいけん》と集団的自衛権《しゅうだんてきじえいけん》

自国《じこく》が攻撃《こうげき》を受《う》けたときに反撃《はんげき》する権利《けんり》を「個《こ》別的自衛権《べつてきじえいけん》」といいます。これに対《たい》し、「集団《しゅうだん》的自衛権《てきじえいけん》」とは、自国《じこく》と密接《みっせつ》な関係《かんけい》にある外国《がいこく》に対《たい》する攻撃《こうげき》を自国《じこく》が攻撃《こうげき》されていない場合《ばあい》でも実力《じつりょく》をもって阻止《そし》する権利《けんり》です。国連憲章《こくれんけんしょう》は両者《りょうしゃ》を固有《こゆう》の権利《けんり》として認《みと》めています。

陸上作戦《りくじょうさくせん》の訓練《くんれん》をする自衛隊《じえいたい》

出所：防衛庁ホームページ

8

日本《にっぽん》は防衛力《ぼうえいりょく》を強化《きょうか》すべき? すべきでない?

自衛隊《じえいたい》の規模《きぼ》をどうしたほうがよいと思《おも》うか?

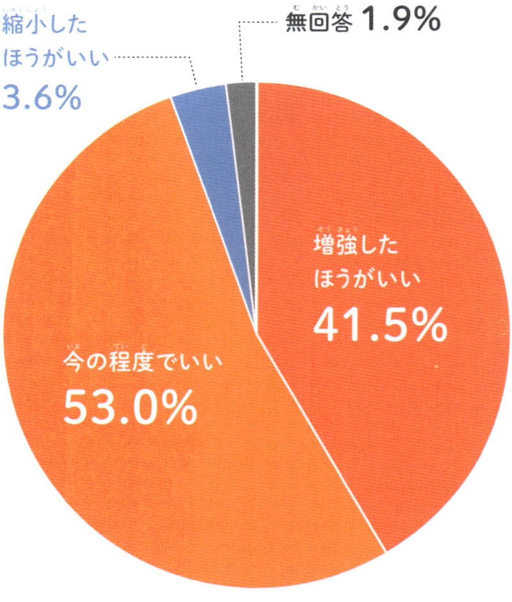

出所:内閣府「自衛隊・防衛問題に関する世論調査(令和4年11月調査)」

考《かんが》えてみよう

- 日本《にっぽん》の防衛力《ぼうえいりょく》は十分《じゅうぶん》? それとも不十分《ふじゅうぶん》?
- それぞれの立場《たちば》の大人《おとな》に意見《いけん》を聞《き》いてみて!

★自分《じぶん》なりの意見《いけん》を持《も》っておこう!

日本《にっぽん》を取《と》り巻《ま》く安全保障環境《あんぜんほしょうかんきょう》が厳《きび》しさを増《ま》すなか、日本《にっぽん》は防衛費《ぼうえいひ》のGDP《ジーディーピー》比《ひ》を2%に増加《ぞうか》させることを決定《けってい》しました。

日本《にっぽん》の防衛力《ぼうえいりょく》を強化《きょうか》することについて日本人《にっぽんじん》の考《かんが》え方《かた》は分《わ》かれています。強《つよ》い防衛力《ぼうえいりょく》を持《も》つことで国《くに》を守《まも》り、安全《あんぜん》を確保《かくほ》できると考《かんが》える人《ひと》もいますが、紛争《ふんそう》に巻《ま》き込《こ》まれる危険《きけん》が増《ま》すと心配《しんぱい》する人《ひと》もいます。

家《いえ》の戸《と》じまりをするように、国家《こっか》も万一《まんいち》の備《そな》えは必要《ひつよう》です。問題《もんだい》はどの程度《ていど》の備《そな》えをするかということです。「安全保障《あんぜんほしょう》のジレンマ」（ある国《くに》が安全《あんぜん》を高《たか》めるために防衛力《ぼうえいりょく》を強化《きょうか》すれば、他国《たこく》はそれを脅威《きょうい》と感《かん》じて対抗《たいこう》して防衛力《ぼうえいりょく》を増強《ぞうきょう》し、それが繰《く》り返《かえ》されることでかえって安全《あんぜん》が損《そこ》なわれること）や国家《こっか》の財政的制約《ざいせいてきせいやく》などの問題《もんだい》もあり、国民《こくみん》の理解《りかい》を得《え》る努力《どりょく》が必要《ひつよう》です。

その国民《こくみん》の一人《ひとり》であるみなさんは、18歳《さい》になると選挙権《せんきょけん》を持《も》つことになります。そして、日本《にっぽん》の防衛力《ぼうえいりょく》をどうするかを決《き》める代表《だいひょう》を選挙《せんきょ》で選《えら》ばなければなりません。そのためにもしっかりと考《かんが》え抜《ぬ》いて自分《じぶん》の意見《いけん》や立場《たちば》を持《も》つようにしましょう。

衆議院議員総選挙《しゅうぎいんぎいんそうせんきょ》の投票率《とうひょうりつ》の推移《すいい》

DATA

衆議院議員総選挙《しゅうぎいんぎいんそうせんきょ》の投票率《とうひょうりつ》は4回連続《かいれんぞく》で50%台《だい》が続《つづ》いている

衆議院議員《しゅうぎいんぎいん》の総選挙《そうせんきょ》の投票率《とうひょうりつ》は決《けっ》して高《たか》くありませんが、3年《ねん》ごとに行《おこな》われる参議院選挙《さんぎいんせんきょ》はさらに投票率《とうひょうりつ》が低《ひく》い傾向《けいこう》があります。

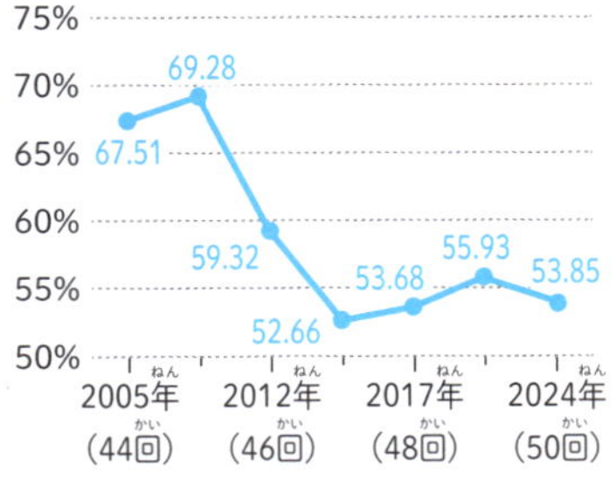

出所:総務省ホームページ

9

一人《ひとり》ひとりがどうすべきかを考《かんが》え続《つづ》けよう!

平和《へいわ》のためにやっていること、やってみたいこと

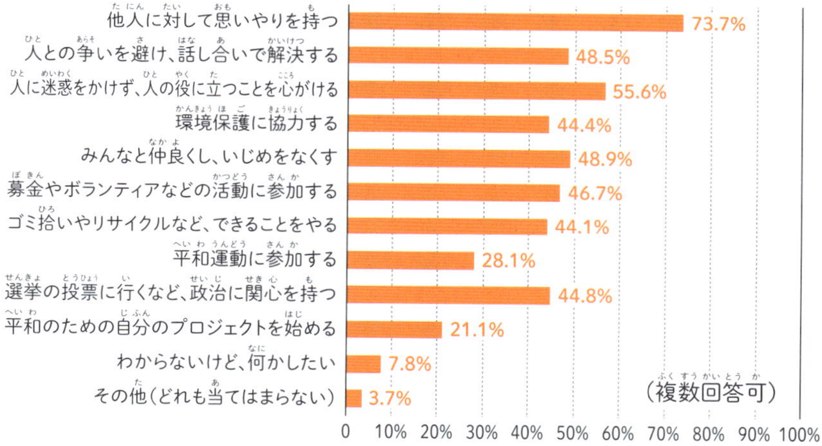

私《わたし》も何《なに》ができるか考《かんが》えてみようと思《おも》います!

日本《にっぽん》の小学生《しょうがくせい》から25歳《さい》までの若者《わかもの》に対《たい》して行《おこな》ったアンケートです。みなさんはどうですか?

出所:五井平和財団「2022年度 平和に関する世界の若者の意識調査」

考《かんが》えてみよう

- 平和《へいわ》のために何《なに》かやっていることはある?
- 何《なに》が平和《へいわ》につながることか考《かんが》えてみよう!

★すぐに答《こた》えが出《で》なくても考《かんが》え続《つづ》けよう！

「戦争《せんそう》と平和《へいわ》」は、私《わたし》たちの日常《にちじょう》に直接影響《ちょくせつえいきょう》を与《あた》える非常《ひじょう》に重要《じゅうよう》なテーマです。戦争《せんそう》が起《お》こると多《おお》くの人々《ひとびと》が犠牲《ぎせい》となり、悲《かな》しみや苦《くる》しみが広《ひろ》がります。一方《いっぽう》、平和《へいわ》なら安全《あんぜん》で自由《じゆう》な生活《せいかつ》を保《たも》てます。私《わたし》たち一人《ひとり》ひとりが平和《へいわ》のために何《なに》ができるかを考《かんが》えることが重要《じゅうよう》です。

まず、平和《へいわ》はひとつの国《くに》だけでは実現《じつげん》できません。国際交流《こくさいこうりゅう》や異文化理解《いぶんかりかい》を通《つう》じて互《たが》いに尊重《そんちょう》し合《あ》うことで、争《あらそ》いの原因《げんいん》となる誤解《ごかい》や偏見《へんけん》を減《へ》らすことが、平和《へいわ》を築《きず》くための第一歩《だいいっぽ》です。

また、平和《へいわ》を願《ねが》うだけでなく、具体的《ぐたいてき》な行動《こうどう》を起《お》こすことも重要《じゅうよう》です。たとえば、学級活動《がっきゅうかつどう》や文化行事《ぶんかぎょうじ》で平和《へいわ》の尊《とうと》さを発表《はっぴょう》して議論《ぎろん》したり、ボランティア活動《かつどう》や平和教育《へいわきょういく》プログラムに参加《さんか》したりすることは、あなたの視野《しや》と平和《へいわ》に向《む》けた連帯《れんたい》の輪《わ》を広《ひろ》げることになるでしょう。

さらに、日本《にっぽん》の防衛《ぼうえい》や外交《がいこう》についても勉強《べんきょう》し、万一戦争《まんいちせんそう》に巻《ま》き込《こ》まれた場合《ばあい》に自分《じぶん》はどうするべきか考《かんが》え、大人《おとな》に尋《たず》ねてみてください。私《わたし》たち一人《ひとり》ひとりが自《みずか》らの問題《もんだい》として考《かんが》えることが大事《だいじ》なのです。最後《さいご》に推薦図書《すいせんとしょ》を挙《あ》げてみました。参考《さんこう》にしてみてください。

この世界《せかい》から戦争《せんそう》はなくせると思《おも》うか？

DATA

「戦争《せんそう》をなくせない」と考《かんが》えている日本《にっぽん》の若者《わかもの》は

50%もいる

NHK《エヌエイチケー》が13～29歳《さい》を対象《たいしょう》に実施《じっし》したアンケートでは、日本《にっぽん》の若者《わかもの》の半数《はんすう》が「戦争《せんそう》をなくせない」と考《かんが》えています。

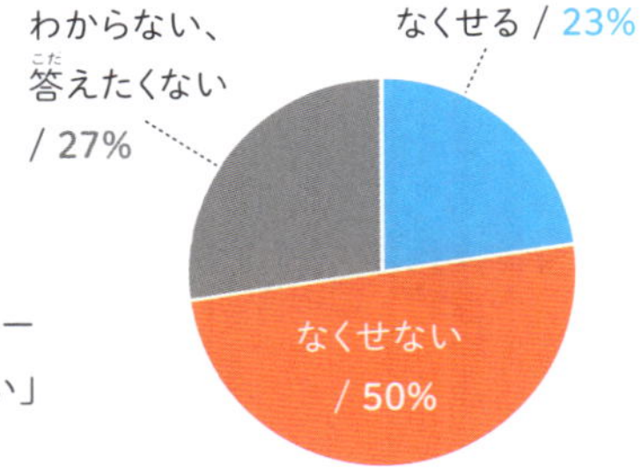

出所：NHK「Z世代と“戦争”3千人アンケート」

戦争《せんそう》と平和《へいわ》を考《かんが》える

推《すい》薦《せん》図《と》書《しょ》5

▶二度《にど》と戦争《せんそう》をしないために戦争《せんそう》の記憶《きおく》を絶《た》やしてはなりません。以下《いか》は、こどもたちの戦争体験《せんそうたいけん》の記録《きろく》、最愛《さいあい》の子《こ》を原爆《げんばく》で失《うしな》った母《はは》の手記《しゅき》、戦争《せんそう》で散《ち》った学徒兵《がくとへい》の遺稿《いこう》です。話《はな》し合《あ》いで戦争《せんそう》を回避《かいひ》する外交《がいこう》を論《ろん》じた本《ほん》も加《くわ》えました。QR《キューアール》コードより感想文《かんそうぶん》をお待《ま》ちしています。

白旗《しろはた》の少女《しょうじょ》

著《ちょ》:比嘉富子《ひがとみこ》(講談社《こうだんしゃ》)

沖縄戦《おきなわせん》のあと、洞窟《どうくつ》から白旗《しろはた》を掲《かか》げて出《で》てきた少女《しょうじょ》を撮《と》った米軍《べいぐん》カメラマンの写真《しゃしん》（表紙《ひょうし》の写真《しゃしん》）があります。本書《ほんしょ》は、その少女《しょうじょ》が後年《こうねん》に執筆《しっぴつ》した実体験《じったいけん》の物語《ものがたり》です。戦場《せんじょう》を一人《ひとり》で彷徨《さまよ》うなか、体《からだ》の不自由《ふじゆう》な老夫婦《ろうふうふ》に助《たす》けられ、洞窟《どうくつ》で命《いのち》をつなぎます。投降《とうこう》を促《うなが》す米軍《べいぐん》の声《こえ》に、少女《しょうじょ》は白旗《しろはた》を手《て》に外《そと》へ。銃口《じゅうこう》のようなカメラに笑顔《えがお》を向《む》けた少女《しょうじょ》は、微笑《ほほえ》み、手《て》を振《ふ》ります。著者《ちょしゃ》は自《みずか》ら体験《たいけん》を語《かた》り、戦争《せんそう》に反対《はんたい》する思《おも》いを語《かた》ります。

星《ほし》は見《み》ている

著《ちょ》:藤野《ふじの》としえ（今人舎《いまじんしゃ》）

原爆前夜《げんばくぜんや》、広島一中《ひろしまいっちゅう》の少年《しょうねん》は屋根《やね》に上《のぼ》り「お母《かあ》さん、兄《にい》さんはもうすぐ死《し》ぬのでしょう」と涙《なみだ》をこぼします。翌日《よくじつ》、広島《ひろしま》は一瞬《いっしゅん》で焦土《しょうど》と化《か》し、少年《しょうねん》は命《いのち》を落《お》としました。母《はは》は「星空《ほしぞら》は変《か》わらないのに、地上《ちじょう》は焼《や》け野原《のはら》」と書《か》き、戦争《せんそう》の終《お》わりを願《ねが》います。本書《ほんしょ》は息子《むすこ》を失《うしな》った母《はは》の悲《かな》しみが痛《いた》いほど伝《つた》わる手記《しゅき》です。YouTube《ユーチューブ》で聞《き》ける俳優《はいゆう》・紺野美沙子《こんのみさこ》さんの朗読《ろうどく》もぜひ聞《き》いてください。

ガラスのうさぎ

著《ちょ》:高木敏子《たかぎとしこ》(フォア文庫《ぶんこ》)

ある少女《しょうじょ》の戦争体験《せんそうたいけん》をつづった事実《じじつ》の記録《きろく》。少女《しょうじょ》・敏子《としこ》は、空爆《くうばく》で母《はは》とふたりの妹《いもうと》を失《うしな》います。半分溶《はんぶんと》けたガラスのうさぎが空爆《くうばく》の激《はげ》しさを物語《ものがた》ります。再会《さいかい》できた父《ちち》も米《べい》軍機《ぐんき》の機銃掃射《きじゅうそうしゃ》で即死《そくし》。それでも敏子《としこ》は復員《ふくいん》した兄《あに》と戦《せん》後《ご》の混乱《こんらん》を生《い》き抜《ぬ》きます。想像《そうぞう》もできない過酷《かこく》な現実《げんじつ》に直面《ちょくめん》しますが、占領軍《せんりょうぐん》の米兵《べいへい》は「鬼畜《きちく》」ではありませんでした。話《はな》し合《あ》いで戦争《せんそう》は避《さ》けられるはずだとの思《おも》いを持《も》った敏子《としこ》に日本国憲法《にっぽんこくけんぽう》が希望《きぼう》と勇気《ゆうき》を与《あた》えます。

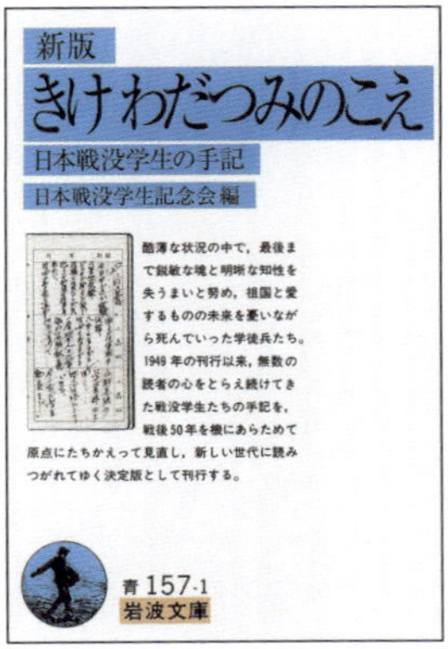

きけわだつみのこえ

編《へん》:日本戦没学生記念会《にほんせんぼつがくせいきねんかい》(岩波文庫《いわなみぶんこ》)

戦地《せんち》に向《む》かった学生《がくせい》たちが、死《し》と向《む》き合《あ》いながらつづった遺書《いしょ》を収《おさ》めた一冊《いっさつ》です。学問《がくもん》を志《こころざ》していた若者《わかもの》たちは、戦争《せんそう》によって短《みじか》い人生《じんせい》を終《お》えたのです。手記《しゅき》には無念《むねん》や悲《かな》しみ、怒《いか》りが込《こ》められ、読《よ》む者《もの》の胸《むね》を打《う》ちます。ある学生《がくせい》は「人間《にんげん》は少《すこ》しも進歩《しんぽ》していない。恐《おそ》ろしき哉《かな》、浅《あさ》ましき哉《かな》　人間《にんげん》よ、猿《さる》の親類《しんるい》よ」と書《か》き残《のこ》しました。戦《せん》争《そう》の不条理《ふじょうり》と自由《じゆう》の尊《とうと》さを忘《わす》れないために、今《いま》こそ読《よ》みたい記録《きろく》です。「わだつみ」は海《うみ》の神《かみ》の古語《こご》です。

外交《がいこう》とは何《なに》か

著《ちょ》:小原雅博《こはらまさひろ》(中公新書《ちゅうこうしんしょ》)

日本《にっぽん》はなぜ他国《たこく》を侵略《しんりゃく》し国民《こくみん》に犠牲《ぎせい》を強《し》いる戦争《せんそう》に突《つ》き進《すす》んだのか。幕末《ばくまつ》の開国《かいこく》から太平洋戦争《たいへいようせんそう》までの外交《がいこう》を振《ふ》り返《かえ》り、その原因《げんいん》を知《し》ることが再《ふたた》び戦争《せんそう》の惨禍《さんか》を繰《く》り返《かえ》さないために必要《ひつよう》です。幸《さいわ》い、戦後《せんご》の日本《にっぽん》は戦争《せんそう》の教訓《きょうくん》としての国際協調《こくさいきょうちょう》と平和主義《へいわしゅぎ》の下《もと》で長《なが》い平和《へいわ》を維持《いじ》してきました。しかし、世界《せかい》で戦争《せんそう》が絶《た》えることはありません。18歳《さい》になったら選挙権《せんきょけん》を持《も》つみなさんには今《いま》から外交《がいこう》について考《かんが》えてほしいと思《おも》います。戦争《せんそう》を回避《かいひ》し、平和《へいわ》を守《まも》るために!

【参考文献】

- 『外交とは何か』（中公新書）
  小原雅博・著
- 『大学 4 年間の国際政治学が 10 時間でざっと学べる』
  （KADOKAWA）　小原雅博・著
- 『東大白熱ゼミ−国際政治の授業』
  （ディスカヴァー・トゥエンティワン）
  小原雅博・著
- 『戦争と平和の国際政治』（ちくま新書）
  小原雅博・著
- 『日本の国益』（講談社現代新書）
  小原雅博・著

【制作スタッフ】

執筆・編集……………　バウンド
本文デザイン…………　山本真琴（design.m）
イラスト………………　瀬川尚志
DTP……………………　バウンド

さくいん

【監修・共著者プロフィール】

小原雅博（こはら・まさひろ）

●東京大学名誉教授 国際関係学博士

東京大学文学部卒、UC バークレーにて修士号取得。1980 年に外務省に入り、アジア大洋州局審議官、在シドニー総領事、在上海総領事などを歴任後、2015 年から 21 年まで東京大学大学院法学政治学研究科教授。名城大学他で特任教授や客員教授を務める。著書に『外交とは何か』（中公新書）、『戦争と平和の国際政治』（ちくま新書）、『日本の国益』（講談社現代新書）、『大学 4 年間の国際政治学が 10 時間でざっと学べる』（KADOKAWA）、『国益と外交』『東アジア共同体』（いずれも日本経済新聞出版社 ）、『コロナの衝撃−感染爆発で世界はどうなる?』<岡倉天心学術賞受賞>『東大白熱ゼミ−国際政治の授業』『外交官の父が伝える素顔のアメリカ人の生活と英語 』（いずれもディスカヴァー・トゥエンティワン） など多数。

こども戦《せん》争《そう》と平《へい》和《わ》

戦《せん》争《そう》と平《へい》和《わ》について考《かんが》えるきっかけとなる本《ほん》

発行日／2025年6月20日　初版

監修 …………………… 小原雅博
著者 …………………… 小原雅博、バウンド
装丁者 ………………… 山本真琴（design.m）
発行人 ………………… 坪井義哉
発行所 ………………… 株式会社カンゼン
〒101-0041 東京都千代田区神田須田町2-2-3
ITC神田須田町ビル
TEL …………………… 03（5295）7723
FAX …………………… 03（5295）7725
URL …………………… http://www.kanzen.jp/
郵便振替 …………… 00150-7-130339
印刷・製本 ………… 株式会社シナノ

 ISBN978-4-86255-732-2
Printed in Japan　定価はカバーに表示してあります。